NOCES
DE PAILLE

Même la pluie, Albin Michel
Décembre au bord, Librio noir
Fleur de peau, L'Aube noire

Aux Éditions Gallimard-Jeunesse
Les Enquêtes de Yann Gray

Boulevard du fleuve
Vieilles neiges
Polar Bear
Septembre en mire
Cœur de piaf
Sale temps
Fausse note
Contre la montre

YVES HUGHES

NOCES
DE PAILLE

roman

calmann-lévy

ISBN 2-7021-3570-6

Le ciel était si lourd, la pluie si dense qu'il alluma les phares. Dans la poche de son imperméable, jeté à l'arrière, il y avait l'argent. Une maigre liasse entourée d'un élastique jaune, coupures de dix euros envoyées par la poste, un réflexe de vieux. D'ailleurs au téléphone la voix était une voix de vieux. Le bruit des essuie-glaces. Lukas avait envie de fumer. La voiture déchirait les paquets de pluie et s'y engouffrait dans le sillage du double faisceau laiteux. Il roulait depuis Paris. Il avait dépassé Rouen. Il n'était pas fatigué et l'eau devenait de plus en plus obsédante : celle de la pluie, celle du fleuve, et désormais celle de la mer qu'il sentait présente, quelque part, pas loin.

Lukas avait un doute. L'Atlantique ou la Manche ?

Comme défraiement, le type avait proposé huit fois le prix du voyage. Lukas n'avait pas hésité. C'était plutôt bon signe. De toute façon il n'avait pas le choix. Les contrats se faisaient plutôt rares depuis qu'il travaillait à son compte. Son correspondant avait évoqué sa femme. Lukas n'avait pas bien compris. Il imaginait un vieux couple, une cuisine aux relents de chou, un vaisselier et la toile cirée sur la table.

7

Attention ne pas trop imaginer. La première règle. Pas de sentiment. Le type avait envoyé l'argent et Lukas jugerait plus tard de la décision à prendre. Il venait pour ça.

Il chercha dans la boîte à gants, trouva le paquet de cigarettes qu'il ouvrit d'une main. Dans sa voix chevrotante, le vieil homme avait laissé entrevoir une certaine détermination. La femme était-elle près du téléphone quand il parlait? Il avait semblé à Lukas percevoir des chuchotements. Impossible de ne pas déjà flairer de vieilles manies. Une existence de plaisirs poussiéreux qui ne veulent pas mourir. Des choses qui cherchent encore à s'accrocher.

Il alluma la cigarette.

Ce devait être la Manche, là-bas, derrière la pluie.

*

Dans le coffre, Lukas avait mis deux valises. Il n'avait pas emporté son matériel. Il rentrerait à Paris le soir même. La voix au téléphone n'avait pas précisé l'objet du contrat. Le vieil homme avait fait des mystères. Faudrait-il s'occuper du corps sur place?

*

Il dépassa Quillebeuf. La route se rétrécissait. Direction Honfleur. Il fallait être attentif. Ne pas louper la bifurcation. Lukas écrasa sa cigarette dans le cendrier. Il poussa le CD. Concerto pour hautbois et orchestre à cordes d'après Domenico Cimarosa. Sa main caressait le volant au son des phrases. *Allegro giusto*. Les hautbois, Lukas ne s'en lassait pas.

8

L'animal jaillit d'un bosquet et Lukas n'eut pas le temps de l'identifier. Ce ne fut qu'une masse trempée qui traversa dans la lumière des phares. Il donna un coup de volant. À l'instinct.

Il s'arrêta un peu plus loin et sortit de la voiture.

Il courait sous la pluie. Ses gestes obéissaient à une mécanique et en approchant du fossé les détails lui apparaissaient. Une haie de framboisiers. Lukas distinguait les petites branches emperlées, remarquait les bourgeons, l'absence encore de fruits.

Il se pencha. C'était un furet. Un jeune, inexpérimenté. Un adulte ne se serait pas laissé surprendre. Après quelle proie courait-il? Tentait-il d'échapper à un prédateur? Lukas releva les yeux. Est-ce que le furet fuyait tout simplement la pluie?

Le corps était chaud. La pluie collait la fourrure. Lukas souleva les babines pour mesurer la taille des dents. La langue sortit brusquement. Il la rentra du bout de l'index. L'œil ouvert le considérait d'un air à peine surpris.

Lukas rapporta l'animal jusqu'à la voiture. Il glissa le corps dans un sac-poubelle au fond du coffre et reprit place dans l'habitacle derrière le volant. La voix soucieuse des hautbois l'y attendait. Un peu solennelle pour la mort d'un furet, pensa-t-il.

Ils auraient été jeunes, ils se seraient rongé les ongles d'impatience. Mais à leur âge ! Au moment où Lukas arrivait sur le seuil, sous le porche en pierre où pendait le macramé, ils se contentaient de grincer des articulations. D'impatience.

Depuis plus d'une heure ils tournaient en rond dans le salon, pleins de questions.

— Tu es sûr, cette fois ?

— Je crois.

Elle ouvrait un tiroir du buffet, sortait des cadres à photos vides.

— Arrête avec ça, Charlotte.

Elle voulait se faire une idée, y croire vraiment. Mais ils n'avaient jamais eu besoin de photos.

— Lui peut-être, dit-elle. Des photos de nous.

Le vieil homme lui prit les cadres des mains, sans brusquerie, et les remit dans le tiroir. Il se pencha pour attraper la bouteille de grenache dans le bas du meuble et lui servit un verre.

— Il ne faudra pas le brusquer, au début.

— Non.

— Il va être un peu effarouché.

— Oui.

Et ce fut à leur tour d'imaginer le quotidien de Lukas, ses lieux, ses habitudes, sa solitude sans doute.

– Si seul, dit-elle.

Ils tournèrent encore en rond, leur verre à la main. Qu'est-ce qu'il fait ? Il est en retard ? Deux tours. Trois. Manège inutile de vieux chevaux anxieux autour de leur avenir en retard.

*

Lukas se présentait sous le porche, évitait de se cogner au cache-pot suspendu, lâchait les valises et sonnait.

Entrez. Défaites-vous. C'est le vieil homme qui avait ouvert, elle dans son dos. Posez tout ça ici. Ils restaient debout à le dévisager. Elle toujours dans l'ombre du vieux, se haussant sur la pointe des pieds par-dessus son épaule.

Lukas enlevait son imperméable humide, pensait au furet empaqueté dans son sac-poubelle au fond de la poche. Il abandonnait ses valises à l'entrée du salon et avançait. Il avait surpris le geste furtif de la vieille cachant les deux verres entamés dans le buffet, comme une petite fille prise en faute.

Elle poussait maintenant du coude le vieux qui demandait à Lukas s'il voulait boire quelque chose. Lukas dit : un Martini avec de la glace. Premier souci du vieil homme qui ouvrait les portes basses du buffet. Je ne sais pas si nous en avons...

– N'importe quoi, dit Lukas, mais de la glace.

La vieille filait à petits pas en direction de la cuisine. Lukas retourna dans l'entrée fouiller son imperméable et la rejoignit.

11

– Vous entreposerez ça dans votre frigo. Avec de la glace autour.

Il lui tendait le sac-poubelle. Elle marqua un temps mais ne fit pas de commentaire. Il n'échappa pourtant pas à Lukas qu'elle tâtait discrètement.

– Je le récupérerai en partant.

Elle retirait le bac à glaçons, enfournait le sac au-dessus d'un pâté de lièvre et de yaourts aux framboises.

★

– Grenache, dit le vieux.

Lukas soupira. Les premières minutes sont toujours difficiles. Il savait ça d'expérience. Une gêne, des scrupules. Il suspectait autre chose. Presque une certitude joyeuse.

– Vous avez apporté vos...

Sur la cheminée du salon, un petit cartel Louis XIV en écailles de tortue et laiton doré déroulait le temps. Ils venaient enfin de s'asseoir. Chacun dans un fauteuil. En face de Lukas.

Lukas ouvrit la première valise et leur mit la loutre entre les mains.

– C'est doux.

Les deux vieux caressaient le poil un peu sec, sans répulsion, avec même une tendresse dérisoire. Lukas était rassuré. Parfois ça s'effondre d'un bloc en voyant les premiers échantillons. Là, non. Au contraire. Les mains semblaient curieuses autour de la loutre empaillée.

– C'est évidemment un article rural, dit-il. À Paris

12

ça se fait peu. Chez le montagnard elle est remplacée par la marmotte. Tendance régionaliste.

– Comme c'est mignon.

Il se sentit en confiance. Ces deux-là ne poseraient pas de difficultés. Il y alla d'un peu de technique primaire, la finesse du museau, surtout, à respecter, le côté fouineur et sauvageon.

Et il sortit de la valise un article moins évident. Pour tester.

– L'iguane d'Égypte. Ni lézard ni varan, le milieu. Deux couches de vernis doux. Un soupçon de patine pour la vie. À peine poussiéreux.

Échange de regards entre les deux fauteuils.

– « Un soupçon de patine pour la vie. »

– « À peine poussiéreux. » C'est beau.

Ils étaient aux anges.

Lukas leur dit qu'il n'avait pris que les petits formats. Mais il faisait aussi dans le volumineux. Il avait des photos, cherchait dans ses poches, ne trouvait pas. Il choisit donc de rester sur du concret en replongeant les mains dans la valise.

– Je vous montre d'abord l'exotique. Là c'est un cobra.

Souplesse et tenue. Un modèle du genre.

– Qui ne va pas sans...

Il puisait une mangouste.

– Inséparables, dit-il en disposant face à face les deux bestioles. Un grand classique. Les Laurel et Hardy de la taxidermie.

Il se laissait emporter par un lyrisme légitime. Il n'en avait pas l'occasion tous les jours, faut dire.

13

– Le séculaire duel de la mangouste et du cobra. Siii.

Il présentait le cobra dressé, la tête fixée sur la mangouste au museau sauvageon.

– Les yeux dans les yeux. Siii. Au soleil. Siii. Le ballet macabre de la mort qui s'échauffe.

Ne manquaient plus que les hautbois.

Mais déjà une main fouillait la valise, impatiente.

– Et ça ?

Lukas récupéra son demi-poulet rôti.

– Non, ça c'est mon casse-croûte pour le retour.

*

Il passait à plus académique, ouvrait la deuxième valise.

– L'éternel cavaleur. Le roi du looping. Le roule-ta-bille de salon.

Le hamster.

– Je l'ai appelé Bébert.

Les regards pétillaient. Lukas savait. Plaît toujours, le hamster.

– Son propriétaire est mort une semaine avant livraison. Ça arrive souvent. C'est parfois concomitant. Quand l'un capote, l'autre souvent suit. Je dis pas ça pour vous.

Combien de maîtres venaient trouver Lukas, la larme à l'œil et leur chouchou tiède à bout de bras, pour claquer le mois suivant quand le boulot était fait.

– C'est triste.

– Le mimétisme, dit Lukas. Faut demander des
arrhes.
– Ou le chagrin, dit la vieille femme.
– Ça change rien pour les arrhes.
– Vous êtes impitoyable.
– Professionnel.
– C'est ce que nous cherchons.

Non ils ne seraient pas chiants, pensa Lukas. Aucune jérémiade à redouter, aucun revirement ni regret tardif. Ils paraissaient décidés. Ça faisait plaisir à voir. Il se laissa aller à boire une gorgée du grenache. C'était un métier d'humilité.

Il choisit de sortir le grand éclectus. Rouge. Une femelle. Rayon teinture de loin le plus coriace, avec certains poissons tropicaux. De vrais tableaux.

– Expressionnisme allemand. Vous aimez la peinture? Le soyeux de la plume. Touchez. Du velours.

– Tu vois, Charlotte. Je te l'avais dit.

Charlotte? Lukas fut surpris. Pas un prénom de vieille.

– Je crois qu'on ne s'est pas trompés, dit-elle.

Un piaf, donc, pensa Lukas. Pas le plus facile mais il facturerait en conséquence. Instinctivement il chercha des yeux une cage vide dans la pièce. On les garde souvent en souvenir. Le temps du deuil. On y place l'empaillé dans une attitude personnelle, avec sa gaieté tant regrettée. Tous les piafs que Lukas avait empaillés étaient gais. Les plus subtils étaient mutins.

Il espérait seulement que ce ne serait pas un canari.

Trop petit. Et puis ce jaune. Difficile à retrouver. Les clients étaient toujours un peu déçus.

– J'ai même tâté du préhistorique, confia-t-il par orgueil.

Pour le Muséum national d'histoire naturelle. Mais on s'éloignait.

– Monsieur au téléphone m'a parlé de « petit compagnon familier » ?

Il attendait. Les deux vieux n'en disaient pas plus. C'était le moment de sortir les photos qu'il venait de retrouver.

– Tenez...

Un chimpanzé. Commande sentimentale. Un cirque suisse, son dresseur, vingt ans de vie commune.

– C'est émouvant.

– On dirait qu'il va parler.

– Et encore, sur une photo vous pouvez pas toucher. Regardez comment je lui ai gommé toute trace de sauvagerie.

Sans non plus sombrer dans l'anthropomorphisme primaire. Juste ce qu'il faut. Conserver une mémoire ancestrale de nature animale. Un vague souvenir d'arbre au bord de la moue.

Concentrés, les vieux cherchaient sur le cliché la mémoire ancestrale et le souvenir d'arbre. Lukas s'emballait, fouillait dans ses poches, sortait d'autres photos. Il ne vit pas que Charlotte subtilisait celle du chimpanzé. Le vieil homme, lui, l'avait vue.

– Le caniche d'une actrice. Par discrétion je vous tairai son nom. Là c'est un chien policier qui est allé à New York renifler le World Trade Center. Un héros. Vous apprécierez la posture, sur le vif, la truffe dans l'éboulis et le fouet balayeur.

Il étalait les clichés sur la table en poussant la mangouste et son cobra.

– Toutes les races, de compagnie ou de chasse. Et tout milieu : niche ou panier. J'allais dire « tout terrain ». Mais oui : carpette ou cresson, moquette ou canapé.

Quant aux chats. Et aux oiseaux...

Lukas resta en suspens.

– Mon drôle d'oiseau.

– Ma petite chatte.

Il y en aurait deux ?

– Je pourrais commencer...

– Ne soyez pas si pressé.

Ce n'est qu'un projet, dit la vieille dame dans un sourire soudain mélancolique. Nous prenons pour ainsi dire les devants. Lukas s'impatientait. Il faudrait qu'il les voie, évalue. Faire une première estimation.

– C'est très gênant.

– Monsieur a raison, Charlotte. Fais-lui confiance. C'est un professionnel.

Précisément. Donc, ces petits compagnons ? Petits ? Gros ?

– Oh, gros, on ne peut pas dire.

– Tout de même, il a pris du poids depuis l'époque où...

– C'est un peu vrai. Elle par contre, une silhouette !

Lukas finit son verre de grenache sans faire la grimace.

– Pardon ? Vous voulez dire que...

Les deux vieux le fixaient en souriant.

– Attendez attendez. Vous voulez que j'empaille ?

La réponse claqua dans le silence trop épais du salon, d'un ton si guilleret, si naïvement sincère.

– Lui : mon Léonce.
– Elle : ma Charlotte.

— On est tellement habitués l'un à l'autre.

Cinquante-cinq ans qu'elle l'avait. Lui aussi, forcément. Lukas hochait la tête bêtement, des compagnons plus que « familiers ». Alors ils s'étaient dit que.

— Le premier qui mourrait.

— L'autre pourrait rester avec.

Ils parlaient en écho l'un de l'autre.

— Encore.

— Malgré tout.

À voix basse, comme pour ne rien déranger.

— Une présence.

— Malgré le silence.

Léonce était allé remplir leurs deux verres de grenache. Sur la cheminée, le cartel s'était fait plus bruyant dans le décompte du temps.

— Pouvoir encore se tenir la main.

Ça pour la main, pensa Lukas, pas de problème. Un peu plus raide, un peu plus froide, mais. Suffirait de gratter la chair, garder la peau et ajouter une petite épaisseur de chanvre, pas grand-chose, à leur âge on a les doigts maigres. Il garderait les os.

— Chaque phalange, phalangette, carpe, métacarpe et compagnie, lâcha-t-il tout haut. D'origine.

Formidable! crut-il entendre.
Avait-il bien entendu *ça*?

★

La technique était spécifique. Loin de la thanato-praxie. Lukas, lui, vidait. Pour la peau, une fois écor-chée... Il s'interrompit.

– Pardon, mais je suis obligé de me placer d'un point de vue technique.

– Faites donc.

– C'est précisément ce que nous attendons de vous.

Ils ne cessaient de le dévisager, plus curieux que jamais, derrière leurs verres de grenache.

– Je dirais deux mètres carrés, jaugea Lukas. Je la saupoudre de sel et d'alun. Extérieur et intérieur. J'ai une truie quelque part.

Sa main piocha la truie dans le jeu de sept familles animalier des photos.

– Je la fais sécher pour la tanner. Puis j'assouplis avec des huiles. Si vous avez un parfum favori.

Ils avaient. *Charme d'un soir* pour elle. *Gentleman caballero* pour lui. Lukas notait.

Ce fut lui, Lukas, subitement, qui eut peur. Ne se laissait-il pas embarquer dans une aventure qui dépassait de loin ses moyens?

Il n'eut pas le loisir de s'appesantir.

– Si vous pouviez en même temps, entre le sel et l'alun...

Ajouter une pointe de tabac pour la pipe.

Des hautbois résonnèrent dans la tête de Lukas.

– Ce sera tout lui.

21

*

   – C'est un travail un peu particulier que vous me demandez.

Et malgré la difficulté, quelque chose d'exaltant. Un défi. Autre chose qu'un furet de hasard sous la pluie.

   – Vous n'ignorez pas que c'est tout à fait illégal.

   – À nos âges.

Lukas soudain avait envie d'allegro. Il commençait à avoir chaud. Aller transpirer dans les chiottes. Un bon coup. Et rentrer chez lui, retrouver sa ménagerie, ses hautbois, ses silences.

   – Vous partez déjà?

   – Où sont les?

   – À gauche dans le hall. Je vous montre.

Debout devant la cuvette, Lukas avait décidé. Pour les yeux, il demanderait à Ferdinand.

   – Vous ne serez pas déçus! cria-t-il par-dessus le jet d'urine. Il a fait les Beaux-Arts!

Ferdinand restaurait les vieux tableaux. C'est-à-dire les *vrais* : ceux du Louvre. Il avait travaillé les yeux de certains Delacroix, des Véronèse et des Poussin. Pas facile, les yeux des Poussin, marmonna Lukas en s'égouttant.

Il sortit.

Son imperméable. L'enfiler et partir. Ils n'avaient pas parlé prix. Tant pis. Parce que c'était un boulot d'au moins neuf ou dix mois. S'ils voulaient quelque chose de qualité et qui tienne longtemps.

   – Toute la vie, dit la vieille.

   – La vie *de l'autre*, dit le vieux. Bien entendu.

22

Ils le raccompagnaient à la porte, un peu déçus de cette précipitation.

– J'espère seulement que.

– Ce serait bête. Attention à la tête.

Le macramé qui pendait. Lukas l'évita.

– Qu'est-ce que vous dites ?

Il remettait les valises dans le coffre. Les photos étaient dans sa poche.

– On dit que neuf ou dix mois, c'est long.

– On espère seulement que celui qui restera ne...

Lukas lançait le moteur. Vous voulez dire s'il ?

C'était ça. S'il meurt entre-temps.

– Il n'aura pas eu le temps d'en profiter.

Il avait oublié le furet. Il mordait dans son poulet froid, debout devant la fenêtre qui donnait sur les quais. Il se demandait ce qu'ils mangeaient, eux. Il avait aperçu du pâté de lièvre dans leur frigo. Dînaient-ils au salon ou sur la table de la cuisine? Avaient-ils eu la curiosité d'ouvrir le sac-poubelle?

En quittant le pavillon, une dernière impulsion lui avait fait prendre la direction de Honfleur. Il avait élu ce petit hôtel aux volets mauves. L'appel d'une corne de brume retentissait quand il était descendu de voiture. Il ne pleuvait plus mais des flaques d'eau luisaient encore sur le bitume.

Il avait moins chaud. Les goulées d'air froid reléguaient le goût du grenache.

Il retournerait chercher le furet en rentrant à Paris où il se mettrait au travail. Toujours le même protocole : dépouillage, tannage, mannequinage, moulage et montage. Il commanderait un stock suffisant de cire, de latex et de résine.

Le dépouillage ne poserait pas de problème. Lukas l'écorcherait avec un bistouri de chirurgie. La peau des animaux sauvages garde une tonicité facile à travailler. Beaucoup plus que celle des animaux de compagnie. Le tannage était l'opération la plus délicate si l'on voulait conserver à l'enveloppe son élasticité. Le trempage dans de l'eau pure éliminerait le sang coagulé et le reverdissage restituerait la souplesse.

Lukas prévoyait un bain de tanin synthétique. Peut-être organométallique. Est-ce que Léonce avait rangé la bouteille de grenache dans le buffet? Est-ce que Charlotte mettait le tablier qu'il avait vu suspendu derrière la porte quand elle cuisinait? Souvent le simple sel de cuisine suffit à souder les fibres gélatineuses et à les rendre imputrescibles. Lukas avait un secret : en plus du sel de cuisine, un peu d'acide sulfurique coupé d'eau permettait au cuir de gonfler et d'absorber plus facilement la liqueur tannante lors du picklage.

Il avala l'air froid de la mer entre deux bouchées de poulet. Il avait ouvert la fenêtre. Le diesel d'un bateau ronronnait dans le port. Le pont de Normandie s'étirait sur sa droite et les lumières de Honfleur s'allumaient. Étaient-ce celles du Havre qu'il apercevait, de l'autre côté de l'estuaire?

Les mains seraient le plus difficile. Pour l'orthopédiste comme pour le taxidermiste, la main est l'épreuve de force. Lukas les avait observées. Ce n'étaient pas des mains boudinées qu'il aurait suffi de bourrer de mousse expansée, mais des mains sèches et nerveuses. Conserver les os nécessiterait des heures de patience. Il avait remarqué les traces de bague aux doigts de Charlotte, mauvaise circulation.

Il referma la fenêtre.

Pour quelle raison n'était-il pas rentré directement à Paris? Il avait choisi l'hôtel aux volets mauves, sur

25

le quai où sans doute ils venaient se promener le dimanche. Il avait pris avec lui les deux valises pour donner le change, jouer au vrai client.

Il avait suivi une gamine dans l'escalier jusqu'au premier étage. Elle récitait des phrases toutes faites, en petite hôtelière appliquée : pas beaucoup de monde, hors saison. Elle parlait de l'école, des bonnes notes en dessin, des noms de poupées et des horaires du petit déjeuner.

– À partir de sept heures et demie. Pas plus que dix heures. C'est maman qui fait les tartines.

Lukas avait souri en la voyant se hausser sur ses guibolles pour ouvrir les volets. Elle arrivait à peine, du bout des bras, à fixer chaque battant au crochet. Il ne l'avait pas aidée.

Il rongeait maintenant les os du poulet froid en pensant à son furet mort et à ses petits vieux.

Ils tournaient autour comme deux poules intriguées. La porte était ouverte sur les yaourts aux framboises et le pâté de lièvre.

– On aurait peut-être dû le retenir.

Ils n'osaient pas ouvrir le sac.

– Tu crois que?

Ils avaient peur. Du contenu du sac-poubelle et de n'avoir pas été suffisamment convaincants.

– Qu'il pourrait ne pas revenir?

Peur de ça surtout : que Lukas ne revienne pas.

– Au moins pour dîner, dit Charlotte en poussant le pâté.

Elle effleurait le sac-poubelle, prenait les yaourts. Elle sentait la consistance de l'objet, encore souple.

Au salon, le cartel carillonnait.

– Je crois qu'il le fera.

– Ça l'intéresse?

– *On* l'intéresse, dit Léonce.

Il bourra une pipe qu'il fuma au salon.

– Avant le dîner, quand même... râla-t-elle en apportant les yaourts avec les serviettes et les petites cuillères.

C'était la première fois. Jamais elle ne lui avait

reproché de fumer avant le repas. Léonce tapa le fourneau de la pipe contre le cendrier en étain et ils ne dînèrent ce soir-là que de yaourts aux framboises, rassurés, pleins d'espoir.

– Tu aurais dû lui faire un chèque. Pour les arrhes.

– Tu crois ?

– Il n'a pas dit ça par hasard. Il aura sans doute des frais.

Léonce trouva une excuse pour se lever de table, revenir dans la cuisine et entrouvrir le sac-poubelle.

Lukas dormit mal. La présence de la mer, l'agitation du port. Le ciel était lisse et l'odeur du poisson lui avait empli les narines quand il avait ouvert la fenêtre. Il n'avait pas son rasoir ni sa brosse à dents. Il se gargarisa sous la douche.

Les petits pains étaient découpés dans le sens de la longueur. Il s'assit tout seul dans la salle du rez-de-chaussée qui ne comportait que cinq tables et un comptoir en bois. Il vit la gamine partir pour l'école. Sa mère l'embrassa en remontant le col Claudine de son gilet, puis retourna dans la cuisine en poussant une porte vitrée. Une belle femme, des jambes et un cul. L'enfant, sac au dos, nattes sur les oreilles, lança un clin d'œil à Lukas en passant devant lui. Complicité de tartines.

La mère revint quelques instants plus tard, un pot fumant à la main. Des hommes entrèrent pour boire du vin blanc au comptoir. Des pêcheurs, reconnut Lukas en disant merci et en regardant ses jambes.

*

Il marcha dans Honfleur sans but précis. Il avait les mêmes vêtements que la veille et son imperméable ne semblait pas avoir séché. Il acheta des rasoirs jetables, une brosse et du dentifrice. Il but encore des cafés dans des petits bars de hasard. Il avait envie de retourner chez eux.

Il hésita à prendre la voiture. Il pouvait y aller à pied, ce n'était pas très loin. Il marcha sur la route. Et dès la sortie de la ville il laissa l'odeur du poisson pour celle des clématites des talus.

C'est en considérant l'accumulation de toutes ces odeurs qu'il en identifia une autre. Un relent tenace qu'il trimballait sur son imperméable : l'odeur de ses deux vieux.

*

Il s'approcha de la haie de thuyas. Par les espaces entre les branches il pouvait distinguer le porche en pierre où pendait le macramé. Il fut surpris de découvrir un garage. Il ne l'avait pas remarqué la veille. Il imagina Léonce au volant, attentif, un peu lent. Il pariait sur un sapin jaune suspendu au rétroviseur, une odeur de vanille et des sièges recouverts d'une housse.

Il fit le tour.

La façade arrière montrait un crépi plus clair que devant. Exposition ouest ? Le soleil ? Ou bien avaient-ils fait repeindre cette partie-là seulement ? Une demi-maison ravalée. Est-ce que ça leur ressemblait ? Lukas ne savait pas encore avec précision ce qui leur ressemblait.

Deux chiens-assis avançaient dans les ardoises du toit. Il essaya de deviner lequel ils partageaient. L'autre était peut-être celui d'une ancienne chambre d'enfant. Pourquoi pensa-t-il *une ancienne chambre d'enfant*?

Il savait qu'une autre chambre était aménagée au rez-de-chaussée, contiguë à la salle de bains. Il en avait poussé la porte en revenant des toilettes, derrière laquelle il avait aperçu des armées de soldats de plomb.

À travers les deux portes-fenêtres il reconnaissait la table basse, les fauteuils, la cheminée au manteau de pierre grise, la tache claire du napperon sur la télé. Il devinait le buffet au fond de la pièce. Une silhouette. Charlotte en cardigan bougeait entre les fauteuils. Faisait-elle le ménage? Lukas regretta de ne pas avoir eu l'idée d'acheter des jumelles.

Il crut qu'elle avait allumé la télé. Elle lui tournait le dos et il ne comprenait pas ce qu'elle faisait, debout devant le buffet. Il faillit franchir les thuyas pour s'approcher. Il crut tout d'abord qu'elle buvait. La bouteille de grenache? Charlotte picolant en cachette, c'était plutôt réjouissant. Mais c'était autre chose. Certaines lampes étaient allumées. Il faisait sombre dans la maison. Pas seulement à cause de ce ciel toujours bas, mais du grand noyer dans le jardin.

Lukas détaillait l'arbre. Il n'y décela pas la présence qu'il espérait. Aucune trace d'usure caractéristique. Le grand noyer n'avait jamais supporté de balançoire.

Il eut envie d'aller sonner.

Il reprit pourtant la direction de Honfleur.

★

Il déjeuna dans un petit restaurant face au bassin de retenue en griffonnant des calculs. Poids, taille,

31

volume de sang, dimension des cuves de trempage. Les proportions seraient différentes. Il lui faudrait utiliser un trocart plus gros. Pratiquerait-il une injection de formaldéhyde?

Il revint à son hôtel pour mettre au propre ses conclusions dans un carnet à spirale acheté à la Papeterie des Vases, un peu après la paire de jumelles de marine.

Sa chambre était faite, propre et claire, et on avait disposé un bouquet de lys. Il pensa à la mère de la fillette.

Il redescendit et alla s'enfermer dans sa voiture pour écouter le *Concerto pastoral*, dit « du Coucou », dont il savoura la partie de hautbois.

Dans l'après-midi il chercha un magasin de disques et acheta la *Suite de valses*, opus 9, de Schubert. Il lui manquait certains ouvrages de référence. Impossible encore de chiffrer le travail avec exactitude. Ça l'ennuyait. Lukas était un homme rigoureux.

Il retourna à la maison de ses vieux. En voiture cette fois.

Il eut une frayeur délicieuse en regardant à travers les thuyas. Ils semblaient morts, tous les deux, dans leurs fauteuils. Lukas régla la focale de ses jumelles et haussa les épaules : ils dormaient.

– Ne nous dites pas que vous...

Qu'il les espionnait ? Mais si. C'était le lendemain matin, jour de marché, et Lukas les suivait depuis vingt minutes.

La veille il était resté longtemps derrière la haie de thuyas. Rien ne lui avait échappé. Pas même, grâce aux jumelles, le cadre à photos ressorti par Charlotte. Elle ne buvait pas en douce, elle exhumait un cadre vide pour le remplir. Lukas avait vu la photo : celle du chimpanzé.

Ensuite elle s'était assise dans son fauteuil pour lire. Il avait identifié la couverture noir et jaune d'un polar dont il avait déchiffré le titre : *Flocon tombe de haut*. Et le nom de l'auteur : John B. Flocon. Léonce avait étendu un torchon sur la table basse pour s'occuper d'un officier d'infanterie légère. À la Papeterie des Vases, en plus du carnet à spirale, Lukas avait trouvé des revues spécialisées. Et depuis les thuyas, dans ses jumelles, il avait reconnu le drapeau frangé de 1812 « à la cravate tricolore ». D'après les épaulettes il s'agissait d'un capitaine dont Léonce repeignait le schako.

Lukas ne savait pas encore que pour certains détails

33

de l'uniforme le vieil homme resterait dans le doute. L'habit avait été modifié par l'ordonnance de janvier 1812, notamment les traditionnelles poches « à la Soubise ». Les boutons aussi posaient des problèmes à Léonce. Un dessin de Thevenin en 1809 les montrait dorés, tandis que les collections Boersch et Boeswillwald donnaient un bouton argent.

Lukas n'avait repris sa voiture que plus tard pour regagner Honfleur. Il savait que le lendemain serait jour de marché, et dès le réveil il avait guetté.

En rentrant à l'hôtel il avait poussé la porte vitrée. La gamine faisait ses devoirs sur une table pendant que sa mère préparait le repas. Laquelle des deux avait été la plus surprise ? La gamine avait relevé les yeux de son livre et sa mère s'était retournée avec une brusquerie angoissée.

— Quelque chose qui ne va pas ?

Il n'avait pas d'alibi. Il avait dit :

— Ça sentait bon.

Il n'avait éprouvé aucune gêne à s'approcher de la table et à se pencher sur le livre. La gamine en avait semblé flattée. Elle avait redoublé d'une attention trop sérieuse pour appâter Lukas.

— Son père ne va pas tarder, avait lâché la mère sans s'écarter de la cuisinière. Applique-toi, Coline.

Lukas n'était pas dupe. Il avait aidé la fillette à comprendre une notion de parallèles avant de monter dans sa chambre et il s'était endormi sur une image de jambes et de cul qui lui rappelaient ceux de Clarisse.

Où l'avaient-elles emmenée, aujourd'hui, ses

jambes ? Ces jambes que Lukas avait tant aimées. Mal, fallait croire.

★

Ses deux vieux le dévisageaient.
– Et pourquoi pas ? dit-il.
Ils en étaient décontenancés, ravis.
– Vous veniez... nous voir ?
Là non plus Lukas ne chercha pas d'alibi. Oui. Voir leurs envies, leurs manies. Voir leur façon de marcher sur un trottoir et d'être bousculés. Voir leur corps en liberté.
Il ne leur avoua pas qu'il dormait depuis deux jours à Honfleur, dans une chambre au premier étage d'un hôtel aux volets mauves.
– C'est gentil.
Ils se trémoussaient comme des collégiens orgueilleux.
– Nous avons si peu de visites.
Quand ils se remirent en marche, Lukas sans réfléchir prit les paniers.

★

Les gens les connaissaient. On les saluait. Les commerçants ajoutaient une botte de persil ou un citron qui tombaient dans un panier que Lukas tenait ouvert.
Et Lukas découvrait le contenu des paniers. Du chocolat. Cinq tablettes.
– C'est bon pour le cœur.
Mais pour l'enveloppe ? Ils y avaient pensé ?

35

– Le nombre de calories qu'il y a là-dedans, dit-il. S'agirait pas de trop forcir. Ni de me faire une poussée d'urticaire.

Ils le dévisageaient, les bras ballants. On commence lentement, on casse d'abord les carrés en deux, puis on ne les casse plus, on les avale en entier.

Lukas sortait les tablettes pour les glisser dans la poche de son imperméable.

– L'état de votre peau, à l'arrivée. Pensez un peu à moi, petits égoïstes.

Il farfouillait. Tomates, endives, carottes. Très bien les carottes.

– Des œufs frais, du lait, du fromage. Très bon le fromage. Pour la calcification.

Charlotte poussait Léonce du coude.

– Nos os. On y pense.

Ce n'était pas vrai. Lukas s'arrêtait devant l'étal pour commander des bananes. Et puis des figues. Je vous les offre. Il payait, ouvrait le deuxième panier. Mais qu'est-ce que je vois ? Des asperges ?

– Les premières, argumenta Charlotte. On aime bien ça.

– Vous n'y pensez pas.

Ils ne comprenaient pas, s'interrogeaient du coin de l'œil. Ce n'était pas bon pour ?

– Pour moi, dit Lukas. Réfléchissez : les asperges. Vous en avez déjà pissé ? Vous vous souvenez de l'odeur ? Eh ben ce serait la même chose pour Lukas. Si l'un des deux, par malheur, ce soir.

Ses deux vieux l'observaient, penauds. Ils se sentaient vaguement fautifs et en même temps si heureux. Ils avaient affaire à un vrai professionnel qui ne laissait rien au hasard. Oh non ils ne s'étaient pas trompés. Ils pourraient s'appuyer sur lui en toute sérénité. Lukas savait prévoir.

*

L'air du large leur apportait des odeurs de sel.
— On avait pensé...
La maman de Coline, plus loin, faisait peser du poisson. Lukas reconnut ses jambes.
— Vous avez déjà dû avoir des frais. Et puis les allées et venues. Alors voilà : nous vous verserons des arrhes.
— Parce que vous allez devoir revenir, n'est-ce pas ? demandait Charlotte. Vous reviendrez ?
Lukas ne disait pas non. Il les voyait secouer la tête pour s'en convaincre.
— Indispensable, fit-il.
Ils doublaient un étalage de vêtements. Lukas choisit un pull. Léonce voulut payer.
— C'est mon tour.
Charlotte en sortait un autre.
— Celui-ci vous ira mieux, Lukas.
Clarisse lui achetait ses chemises. Elle connaissait le grammage du coton qu'il préférait, le boutonnage des poignets et le style de col.
Depuis combien d'années Lukas achetait-il lui-même ses vêtements ? Et aujourd'hui, pour la première fois depuis ce temps-là, un œil féminin lui conseillait une couleur, une forme, et il se laissait faire.

– J'avais dix-huit ans. Je ne connaissais rien.

– Et moi pas beaucoup plus, dit Léonce.

Il venait à la boutique des parents de Charlotte acheter des gants, c'était une époque où les hommes en portaient.

– Je les ai toujours. Ils doivent être là-haut, au grenier.

Et il était tombé sur les yeux de Charlotte.

– Ses grands yeux outremer, fit-il en tournant la tête vers elle.

– Je les ai toujours, dit-elle en pouffant.

Lukas posait les paniers sur la table de la cuisine. Ils étaient revenus de Honfleur dans la petite voiture que Léonce conduisait lentement. Aucun sapin jaune ne pendait au rétroviseur.

Les deux vieux parlaient d'une paire de gants, la première chose autour de laquelle ils s'étaient touchés, du bout des doigts.

– Tu me conseillais.

– Tu hésitais.

– Je le faisais exprès.

– Je le savais.

Vingt doigts maladroits qui s'effleuraient autour de

dix doigts en pécari, en chevreau, en agneau ou en veau.

– L'amour est une affaire de peau, dit Lukas en ouvrant le frigo.

Ils l'avaient vidé. Excepté le sac-poubelle.

Lukas eut une hésitation avant d'y entreposer les crevettes. Il saisit le sac-poubelle et alla l'enfoncer dans la poche de son imperméable. À la sortie du marché, Léonce avait dit :

– On a toujours votre furet.

Lukas avait compris qu'ils n'avaient pas résisté à la curiosité. Charlotte avait enchaîné :

– Si vous veniez déjeuner ? Vous pourriez le récupérer.

Ils déballaient, embarrassés de leurs corps dont ils n'avaient pas encore l'habitude. Léonce était ailleurs, dans une petite boutique de la rue Guillaume-Tell où des yeux outremer lui avaient montré l'horizon.

– J'étais entré pour me réchauffer les mains, j'en ressortais le cœur brûlant.

L'atelier était à l'arrière. Charlotte enfant aimait y venir regarder travailler son père et les deux ouvrières qui découpaient les pièces de cuir.

– Ça sentait le poivre et le tiède.

Elle se faufilait dans l'atelier chaque soir avant de faire ses devoirs. Son père l'observait un instant par-dessus ses lunettes et finissait par la prendre sur ses genoux. Elle suivait ses doigts manier l'alêne, tirer les fils ou faire fonctionner la machine à coudre qui travaillait dans un petit bruit sec de mitrailleuse. Souvent elle s'installait dans un coin, sur un établi libre, pour apprendre ses leçons. La fabrication des gants se poursuivait au milieu des océans, des dates historiques et des problèmes d'arithmétique.

– Ils m'aidaient.

Les deux ouvrières, son père, donnaient un nom, une date de naissance ou une superficie, quelquefois ne savaient pas. L'hiver on allumait les lumières.

Lukas pensa à la petite Coline de l'hôtel. Charlotte devait lui ressembler, à l'époque.

– Le magasin donnait sur la rue Guillaume-Tell.

Plus tard Charlotte y aidait sa mère le samedi. Et Léonce venait chaque semaine.

– Je suis revenu tous les samedis pendant six mois.

– À l'époque, dit Charlotte, on n'emballait pas rapide.

Elle considéra Lukas d'un œil incertain. Il sourit. Léonce pouvait continuer.

– Je prenais le prétexte d'essayer les nouveautés. J'en avais mal aux mains.

Des mains que Charlotte commençait à aimer.

– Vous ne pouvez pas vous imaginer, Lukas, comme c'est sensuel un homme qui essaie des gants.

Léonce cherchait sa pipe.

– Je faisais très attention d'avoir toujours les ongles propres.

Avant de sortir de chez lui il se lavait les mains à l'eau de Cologne.

– Et pendant le trajet jusqu'à la rue Guillaume-Tell je les gardais au fond des poches pour qu'elles ne ramassent pas les odeurs du métro.

Sur la cheminée, le cartel Louis XIV scandait du passé. Léonce achevait les Arts et Métiers. Il venait d'obtenir son premier poste dans un cabinet de travaux publics spécialisé dans la construction de ponts.

– Un jour tu es venu essayer une dernière paire.

– Avec des roses.

Il avait tendu les roses à Charlotte qui lui tendait des gants.

– Ils étaient taillés trop petits.

– Mon père est arrivé de l'atelier.

Le père de Charlotte avait demandé à Léonce s'il souhaitait essayer d'autres formes, quel était le genre qui lui plaisait.

– Il savait déjà la réponse.

– Le genre exactement qui me plaisait.

Et il lui avait accordé sa main.

– J'en prendrai soin, promit Lukas.

Il prit leurs mains dans les siennes avant de se diriger vers la salle de bains.

*

Charlotte alla caresser la photo du singe dans son cadre. Léonce avait reposé sa pipe qu'il n'avait pas allumée. Il y avait comme un espace de temps suspendu, pendant que dehors le grand noyer agitait ses branches.

– Je lui montrerai les gants, dit Léonce.

Instinctivement ils levèrent la tête.

– Tu crois que?

– Je ne sais pas.

– Il ne porte pas d'alliance.

*

Quand Lukas revint de la salle de bains il avait enfilé son nouveau pull et ses cheveux étaient mouillés.

41

– J'en ai profité pour prendre une douche.

Charlotte mettait le couvert sur la table du salon. Elle avait sorti une nappe neuve et les assiettes en porcelaine. Léonce cessait de tripoter sa pipe éteinte et prenait le coude de Lukas. Il le dirigeait vers la chambre du bas qu'il ouvrait sur la bataille de Craonne.

– Blücher réussit à rejoindre des renforts venant de l'armée du Nord et s'établit sur la rive droite de l'Aisne. Ici.

Il pointait l'index sur un cours d'eau creusé dans du contreplaqué. Il avait peint les berges en vert et il y avait *véritablement* de l'eau dans le lit de la rivière. Une minuscule rigole qui s'évaporait lentement dans la chaleur de la pièce.

– Le 5 mars, Napoléon donne l'ordre à sa cavalerie d'enlever le pont de Berry-au-Bac.

D'autres plateaux étaient disposés dans la chambre, sur des tréteaux à plusieurs étages, avec à chaque fois une nouvelle bataille.

– Les Polonais de Pax, soutenus par Exelmans et Nansouty, culbutent l'ennemi en traversant au galop. Vous voyez?

Léonce avait peint les lèvres, les yeux et l'expression des sourcils. Nansouty semblait confiant. Exelmans beaucoup plus circonspect.

L'infanterie russe fut repoussée et il fallut revenir au salon.

– Il vous a montré? dit Charlotte. Ça l'occupe. Il a encore de bons yeux pour les détails.

*

Il les avait laissés prendre leur place habituelle après une petite valse maladroite où ils s'étaient bousculés. Il avait cuisiné les côtelettes d'agneau achetées sur le marché, avec des petits pois.

Il avait dit : Plutôt que de les jeter, les asperges, je vais me les faire à moi.

Au terme de quelques boucheries napoléoniennes, il en avait profité pour aborder un thème délicat.

– C'est fou.

– Ah ça, la circulation des gaz.

Ses deux petits vieux n'en revenaient pas. On s'imagine que c'est amorphe, un cadavre, et en se penchant un peu on s'aperçoit que ça s'active. Ça souffle, ça pousse, ça se vide, ça se dégonfle.

– Finalement ça n'arrête pas, fit Charlotte.

Au moins pendant quelque temps, corrigea Lukas.

– Ça tousse aussi, dit-il. On dirait des éclats de rire en douce. Très surprenant. Ça fout les jetons à la famille en général. Et ça fait marrer les gosses.

Tout un tas de bulles là-dedans qui se chamaillent pour circuler. Une vraie foire d'empoigne. Méthane et azote. Faut voir.

Il débouchait la bouteille de vin, goûtait.

Puisqu'on en était aux bouffonneries, savaient-ils que dans certains cas on constate un petit écoulement de sperme?

– Comme un dernier clin d'œil. Sacrée surprise. Pas un truc important, bien sûr.

– Bien sûr.

– N'allez pas imaginer.

Les pauvres. Ils n'imaginaient rien.

★

Lukas rapporta les côtelettes avec les petits pois. Léonce évoqua le problème du casque des brigadiers du 5ᵉ Dragons en 1807, dont le plumet était généralement blanc mais que Rigo, dans sa planche U9, donnait avec un sommet écarlate.

★

Lukas et son furet mort rentrèrent à Paris tard dans l'après-midi. À la fin du déjeuner, ses deux vieux le ramenèrent à Honfleur en voiture. Des mouettes criaient au-dessus du bassin de l'Est. Ils marchèrent tous les trois le long de la plage, doublant l'alignement des cabines blanches encore désertes. Léonce désigna le pont, évoqua la hauteur des haubans, la portance.

– Vous étiez à l'hôtel ?

Il y avait du reproche dans le ton et Lukas comprit. Il confirma aussitôt qu'il devait rentrer à Paris. Et c'était vrai. Il n'avait qu'une envie : retrouver son atelier de la rue Notre-Dame-de-Lorette pour se mettre au travail. Il tâtait le furet dans sa poche. L'animal avait été sorti du réfrigérateur depuis plusieurs heures et il avait peur qu'il se décompose trop vite.

Il alluma une cigarette. Le vent d'ouest soufflait. Il avait un peu froid. Il remonta le col de son imperméable en sentant le bras de Charlotte se glisser sous le sien. Il respirait l'air marin qui se mêlait au parfum *Charme d'un soir*.

– J'aime la mer, dit-il, et les hautbois.

Les deux petits vieux opinèrent sans rien dire. Ils s'étaient placés de chaque côté de lui. Des gamins faisaient du roller le long de la promenade.

– Ce doit être passionnant, dit Charlotte un peu plus tard sans qu'ils sachent de quoi elle voulait parler, des rollers, des hautbois ou du travail de Lukas.

Léonce alluma une pipe, râla contre son cor au pied, ralentit la marche. N'était-ce pas une petite comédie pour se faire plaindre et agripper à son tour l'autre bras de Lukas ? Car maintenant ils avançaient bras dessus bras dessous : Lukas au milieu, entre ses deux vieux accrochés à lui.

Il faisait nuit quand il remonta la rue Notre-Dame-de-Lorette. Il traversa la cour et poussa la porte de l'atelier. Il avait écouté les valses de Schubert pendant le trajet.

Il retrouvait l'odeur familière, ce mélange animal et chimique qui accompagnait sa vie depuis des années. Cette odeur que ne supportait plus Clarisse quand il la ramenait à la maison collée à ses vêtements, sa peau, ses cheveux. Elle lui demandait de se faire trois shampooings de suite et Lukas voyait bien qu'il lui répugnait de faire l'amour avec lui à cause de ça.

Il se mit au travail sous la lueur de sa lampe d'architecte. Il découpa le furet avec des ciseaux de drapier, de l'anus à la gorge, en respirant par la bouche. C'était une femelle. L'incision en fut facilitée. Lukas n'eut pas à affronter l'écueil des testicules. Ça lui éviterait aussi de conserver la peau du scrotum pour la remplir ensuite de deux petits marrons séchés.

Les marrons présentaient le double avantage de la consistance et du moelleux. Lukas en avait des centaines dans les tiroirs du bas de son grainetier. Pour de bonnes couilles, les marrons devaient avoir séché pendant plusieurs mois.

Quand les boyaux du furet dégorgèrent sur la paillasse, il ne parvint pas à les retenir. Une bonne partie de la matière s'écoula sur le sol. Lukas épongea puis alla se laver les mains. Ce n'était pas vraiment une salle de bains mais un simple cagibi équipé d'un bac de douche avec un lavabo. La salle de bains était au premier, avec une chambre et un coin kitchenette. Lukas n'y montait plus.

Il avait sous-loué l'étage, autrefois, se contentant de vivre dans l'atelier où il avait installé ses bouquins sur une étagère à côté des CD. Il s'y sentait bien. Combien de sous-locataires avaient défilé là-haut ? De tous les genres, de tous les sexes. Il y avait eu des étudiants, des clandestins, des prostituées. Lola qui payait son loyer avec son cul. Un carabin que Lukas faisait réviser et qui lui donnait des tuyaux, lui rapportait des produits volés à l'hôpital. L'étudiant lui avait refilé un jeu de pinces et de marteaux d'orthopédiste.

À cette époque, certains lui avaient servi de revendeurs, fourguant à la sauvette ses travaux les plus hétéroclites. Il y en avait un qui était spécialiste dans la « vente posthume ». Il écumait tous les jours les avis de décès du *Figaro* et envoyait à la famille un animal empaillé, avec une facture scellant un prétendu accord vieux de plusieurs mois. La plupart des familles n'avaient pas le cœur de retourner le colis, préférant payer et le garder en mémoire du cher disparu à qui il aurait tant fait plaisir puisqu'il s'agissait, en quelque sorte, d'une dernière volonté. Même si cette « dernière volonté », pour le moins fantaisiste, les rendait perplexes.

Le dernier sous-locataire de Lukas était monsieur

N'Diolo, venu du Gabon sans papiers, qui faisait office de secrétaire et de répondeur téléphonique. Monsieur N'Diolo adorait accueillir la clientèle, faire patienter ou noter les rendez-vous dans un grand cahier. Il faisait visiter l'atelier en l'absence de Lukas, vantant les mérites de chaque travail, insistant sur la qualité d'orfèvre de telle technique. Il s'y appliquait en roulant les « r » d'un ton empreint d'une double gravité : scientifique et artistique.

Le grand rire africain manquait à Lukas. Monsieur N'Diolo avait quitté la France à la recherche d'un pays d'accueil, de papiers véritables et d'une vie supportable.

*

Il récura l'intérieur du corps avant de procéder au découpage de la tête. Il essaya de ne pas casser le crâne. Chaque petit os fut ôté et la mâchoire conservée dans un bain de formol.

En hommage à ce sourire énigmatique, fraternel et lointain, Lukas mit *Cantabile et giocoso* pour hautbois et piano. Puis il énucléa les deux globes oculaires d'un mouvement de petite cuillère.

Il conserva un œil et ouvrit le tiroir supérieur du grainetier. Des dizaines de regards le fixaient du fond de leurs boîtes, rangés selon la couleur, la taille et la forme. Aucun œil ne ressemble à un autre. C'était un travail de patience et d'observation.

Lukas choisit longuement, pendant que la peau baignait. Le furet avait des iris noisette aux reflets verts. Lukas trouva quelque chose d'approchant. Il demanderait à Ferdinand d'ajouter des éclats dorés.

Un peu les mêmes paillettes que recelaient les yeux de Charlotte. Il les avait encore observés dans l'après-midi, au bord de la plage.

Ils l'appelèrent à ce moment-là.

Il reconnut leurs voix : celle de Léonce dans l'appareil et celle de Charlotte à côté qui lui soufflait des questions. Savoir s'il était bien rentré. Bonne route pas trop de monde? Pas trop fatigué? Qu'allait-il manger ce soir? Eux, ils finiraient les petits pois.

– On voulait vous dire, Lukas.

Qu'ils étaient ravis. De leur journée. Du projet. De la mer.

Ils étaient raisonnables. Ils ne finiraient pas les asperges.

– On pourrait vous les garder, si vous envisagiez de revenir prochainement.

Lukas raccrocha en les rassurant.

Pour plus de sûreté il plongea l'œil du furet dans un verre de solution formolée. Il connaissait l'écueil de la lumière artificielle. Demain matin il le sortirait dans la cour pour comparer avec la bille. Toujours un problème, les différences de luminosité sur un œil. Ceux de Léonce, par exemple, étaient très différents dans son salon et sous le ciel de Honfleur.

*

La peau du furet trempait dans son bain de tannage où Lukas avait ajouté du sel de cuisine. Le squelette était lavé, brossé, séché. Aucune odeur désormais. Lukas prenait les mesures.

Il pensa qu'il avait exagéré avec le chocolat. Les quatre plaquettes étaient à côté du lit de camp. Il avait boulotté la cinquième sur la route en écoutant les hautbois de Schubert. Il se promit de leur en rapporter une boîte la prochaine fois. Du chocolat suisse fourré à la liqueur. Ça conserve.

Il faisait preuve de cynisme. Il n'aimait pas ça.

Il construirait un mannequin en contreplaqué.

*

Il nota l'absence d'une griffe. Le furet avait dû se la briser sur une pierre, le bitume de la route peut-être. Lukas s'interrogea sur l'opportunité de lui en fabriquer une neuve.

Il posa la question à haute voix en direction de la chouette hulotte sur son étagère.

C'est en pensant à aller ressortir ses vêtements sales de la poche de son imperméable qu'il tomba sur le chèque. Avec un petit mot à l'écriture tremblotante.

Il s'allongea sur son lit de camp avec *La Taxidermie moderne* de Jean Labrie. Il faudrait qu'il aille se renseigner auprès de l'Institut médico-légal. Certains points demeuraient obscurs. Lukas savait qu'il avait des lacunes. De cœur, par exemple.

*

Il reposa le bouquin, se frotta les yeux. Quand Clarisse l'avait quitté il travaillait chez Doyau, rue du Bac. Il faisait ses journées syndicales, sans éclat, sans dégoût, au fil des massacres, à tanner des morceaux de peau de cerf pour les coller sur l'os frontal entre les bois. Ses patrons n'avaient pas à se plaindre de lui.

Les clients non plus. Il rendait toujours un travail net. Un peu trop peut-être.

Peu à peu il s'était passionné pour les grands mammifères. Le choix royal. Une vie professionnelle de taxidermiste ne peut se contenter de massacres. (Rien que le terme !)

Il avait bossé, potassé. Il avait même voyagé pour étudier les différentes techniques aux États-Unis, en Russie, en Chine. On lui avait confié des travaux de plus en plus délicats. Sa première tête de cheval pour une boucherie chevaline de Limoges. Son premier chien, un cocker golden. Tout entier. Des griffes à la truffe. Sa première antilope, son premier fourmilier, son premier bouquetin. Lukas devait se résoudre à cette constatation : les humains sont entourés d'animaux.

Il avait réalisé un lion pour une fondation suisse. Et un cheval en pied. Ce fut un cap dans sa carrière. Les grands ongulés. Les haras nationaux et privés, les éleveurs faisaient appel à la maison pour immortaliser un crack. L'allure du trotteur fut sa spécialité. (Pas si évident.)

Son premier zèbre fut livré à la zoothèque de Munich. Il n'y œuvrait pas seul, mais c'est lui qui dirigeait les opérations. Il devint chef d'équipe. On lui confiait un projet, des moyens, des collaborateurs. Il pouvait se flatter d'avoir réalisé les rhinocéros de la Grande Galerie de l'évolution. Et puis les zèbres. Et les girafes. Il passa avec bonheur du trot à l'amble. Plusieurs années de travail. Son grand œuvre.

Clarisse s'en foutait. Pendant qu'il s'occupait du corps des rhinocéros, elle s'occupait de son corps à elle. Avec un autre homme qui ne sentait pas la charogne. Période difficile pour Lukas, de lente déchéance. Il avait donné sa démission, quitté Doyau pour s'installer à son compte dans le petit local rue Notre-Dame-de-Lorette. Les commandes n'affluaient pas. Il continuait, obstiné, parfois sans qu'aucun client ne vienne chercher ses œuvres qui s'entassaient autour de lui sur les étagères. Gueules, hures et massacres oubliés par des chasseurs qui avaient tiré de plus belles proies. Son travail cédait la place à de nouveaux trophées plus glorieux, immortalisés par des concurrents. Et Lukas restait avec tout ça autour de lui. En silence.

Il s'était peu à peu recroquevillé sur lui-même, à l'image du lit de camp dans le coin de l'atelier, du bac de douche et du petit réchaud à gaz. Le premier étage loué, il ne restait plus à Lukas que cet espace minuscule de regards vides et d'odeurs. Une existence à tricoter des cadavres. Dont certains n'effarouchaient pas les femmes de passage.

Il en avait baisé une qui, dès le premier soir, avait tourné le grand duc dans la direction du lit de camp. Elle s'était levée pour marcher jusqu'à l'étagère et faire pivoter l'animal : face à elle. Elle avait joui sans lâcher des yeux le grand duc empaillé.

Bientôt cette fille s'était mise à orienter tous les animaux. Et elle n'atteignit bientôt l'orgasme qu'avec ces iris de verre sur elle. *À cette seule condition.*

Ils avaient hésité à prendre la voiture.

– Tu ne vas pas conduire tout ce trajet, Léonce.

Il avait bougonné sans insister. Ça faisait longtemps qu'il n'avait pas conduit plus de dix kilomètres. Son dernier grand trajet en voiture datait de l'hospitalisation de Charlotte au Havre, quand on l'avait opérée de la vésicule. Il s'y rendait tous les jours. Leurs seuls déplacements, depuis, ne les emmenaient pas plus loin que Honfleur.

– Et alors ? avait-il dit.

Alors il avait conduit jusqu'à la gare. C'était la première fois qu'ils retournaient à Paris. Ils savaient l'un comme l'autre qu'ils iraient rue Guillaume-Tell. Leur petit pèlerinage.

– J'ai peur d'être déçue.

Ils avaient pris deux billets de première classe. La campagne normande défilait sous leurs yeux.

– On est toujours déçu, fit-il d'un ton plus docte qu'il n'aurait voulu. On ne fera que passer.

Il voulait dire sans s'arrêter sur leur passé.

– Ce sera quand même émouvant.

Elle avait fait des sandwiches au saucisson. Il pensait à des ponts. Puis il s'endormit. Elle aussi. Après Bernay, le contrôleur les réveilla.

– Tu as pris à boire?

Ils n'avaient pas d'enfants à qui rendre visite. Pas de communion. Pas d'anniversaire. Dans le wagon de première classe de leur grand voyage, avec leur saucisson, leur bouteille d'eau et leur résolution à fleur de peau, ils allaient rendre visite à des rhinocéros.

– Je n'appréhende pas.

– Moi non plus.

Il n'y avait rien de ridicule là-dedans. Ils prenaient les choses au sérieux. Charlotte découpait des tranches de saucisson, trompant cette appréhension que ni l'un ni l'autre n'auraient avouée.

Ils n'avaient pas vécu longtemps à Paris. Léonce avait été muté à Valenciennes. Charlotte l'avait suivi. Ils revenaient à Paris une fois par an, pour les réunions des anciens des gadz'arts. Charlotte accompagnait Léonce et rendait visite à ses parents chez lesquels ils dormaient. Son père s'amusait à lui faire réciter les départements au fond de l'atelier de la rue Guillaume-Tell qui sentait toujours le cuir, le poivre et le tiède. Mais les genoux de son père ne furent plus assez solides. Charlotte avait grandi et ses parents avaient vieilli.

Puis ce fut Lille et l'entrée de Léonce aux Ponts et Chaussées. Le Génie civil. Quelques autres villes, Clermont-Ferrand, Nevers, Aurillac, et Le Havre où il avait achevé sa carrière pleine de ponts. La mère de Charlotte était morte la première. Son père avait gardé le commerce, sans espoir. Qui portait encore des gants? Le chiffre d'affaires avait baissé en même temps que la force de ses genoux. Il avait fini par vendre à un groupe qui envisageait de transformer le magasin en comptoir d'agence de voyages. Il était venu vivre avec eux au Havre. Un an. Avant de mourir.

Le train entrait gare Saint-Lazare.

★

Léonce ouvrit son plan de Paris, chercha la ligne de métro. Une fois à la retraite, Charlotte et lui avaient trouvé cette petite maison près de Honfleur, où ils étaient venus vivre. Ils se trompèrent de correspondance. Après vingt minutes de métro inutiles, ils montaient les escaliers de la station Gare d'Austerlitz.

L'atmosphère de la Grande Galerie de l'évolution les prit à la gorge. Léonce avait trop chaud.

– Quitte ton gilet.

Ils se plantaient enfin devant la procession immobile des animaux empaillés.

– Dire que c'est lui, tout ça.

– Pas tout.

Des enfants couraient dans leurs jambes. Ils restaient imperturbables, le regard levé vers les sommets de l'art taxidermiste.

– Les girafes, tu crois?

– Ce port de tête, cette élégance, c'est lui.

Ils cherchaient parmi les girafes. Finirent par élire un spécimen et tomber d'accord. La sienne. Comme deux gosses choisissant leur chouchou. La girafe de Lukas. Ils ne la quittaient plus des yeux, tournaient autour au milieu des mômes chahutant.

– L'hippopotame?

– Sais pas.

– L'éléphanteau ?

– Une allure qui n'y est pas.

Non, décidément, ils revenaient à leur girafe, appréciaient la teinte, le lustré du jaune, la douceur des grandes lèvres là-haut. Ils en avaient mal à la nuque. Torticolis d'admiration.

– Les zèbres, peut-être ?

Ils se déplaçaient à petits pas solennels, abandonnant la girafe pour une nouvelle cible.

– Celui-là ?

– On dirait bien.

Les rayures du zèbre leur donnaient mal aux yeux.

– Ça doit être difficile à rendre.

– Ce n'est tout de même que du noir et blanc.

Ils ne visitèrent rien d'autre. Ils repartaient par où ils étaient entrés, sans accorder un regard aux animaux restants ni aux différentes collections du musée.

Ils ne traversèrent pas le Jardin des Plantes pour visiter la ménagerie. Les bêtes vivantes ne les intéressaient pas.

Ils appelaient un taxi.

Ils avaient tout de même acheté quelques cartes postales où l'on distinguait bien la girafe.

*

La rue Guillaume-Tell avait changé. Ses odeurs n'étaient plus les mêmes. Ses couleurs avaient terni. Et l'agence de voyages n'existait plus. Ils descendaient du taxi, Léonce cherchait de l'argent dans son portefeuille et Charlotte découvrait des babas au rhum où jadis s'exposaient des gants de cuir.

Une pâtisserie.

La tristesse du recueillement en fut adoucie.

– Tu te rappelles ?

– La porte était à droite. Plus petite. Le comptoir était au niveau des baguettes.

– Ils ont ouvert un deuxième passage sur l'arrière.

Le nez sur la vitrine, ils remontaient le cours du temps.

– À la place des millefeuilles il y avait la main en ébène.

– Et l'année où mon père avait acheté un poêle, on l'avait installé près des boîtes de chocolats.

– Tu es sûre ? Je le voyais au niveau des viennoiseries.

– Qu'est-ce que tu racontes ! De toute façon tu ne l'as jamais connu, le poêle. Il fumait trop. Ça endommageait les cuirs. Papa l'avait fait enlever.

Ils refaisaient leur petit monde.

– Devant les religieuses, ici, les gants en chevreau crème. Les plus fragiles, que ma mère plaçait là parce que le soleil y donnait moins. On entre ?

Ils respirèrent la frangipane et l'amande, voulurent deux polonaises et achetèrent trois éclairs.

*

Ils collaient leur nez à une autre vitrine, au fond de la cour. Ils détaillaient les animaux empaillés, identifiaient la chouette hulotte sur son étagère, un renard, une tête d'okapi, le corps d'un tatou, un lièvre capucin, le grand duc.

La porte était fermée. Ils poussèrent en vain. Lukas se retourna. Ils lui faisaient signe : c'est nous. Il vint leur ouvrir, son fer à repasser à la main.

– On vient du musée.

– On est venus à Paris pour les voir.

– Les girafes et les zèbres.

– Les vôtres, précisa Charlotte.

Ils roulaient de gros yeux. Alors c'était là qu'il travaillait. Oui, on reconnaissait des pinces, des aiguilles, des maillets. Là aussi qu'il vivait. Oui, on reconnaissait un lit de camp, une table de chevet, un réchaud à gaz, un petit poste de télé.

– Oh là là ce désordre. Mon pauvre Lukas. Et vous repassez vos affaires vous-même ? Donnez-moi ça.

Il avait fait une lessive à la laverie automatique de la rue d'Aumale, comme tous les dimanches.

– Si si si. Ça me fait plaisir.

Léonce branlait de la tête, amusé, et Charlotte repassait la chemise de Lukas, celle qu'il avait portée trois jours à Honfleur et dont le col rebiquait.

– Il faudrait un peu d'eau. Vous n'avez pas de vaporisateur ?

La gêne de Lukas disparut à la troisième chemise.

– Vous vouliez juger par vous-mêmes ? fit-il.

Ils avaient peur brusquement. Cette expédition n'était-elle pas interprétée comme un manque de confiance ?

– En grand, dit Léonce.

– Vous nous aviez fait envie, dit Charlotte.

Et puis il y avait le pèlerinage rue Guillaume-Tell.

– Imaginez-vous qu'une pâtisserie a remplacé la boutique. Justement on en a rapporté.

Elle défaisait le paquet, présentait les trois éclairs.

– Vanille, chocolat, café. Choisissez.

Ils mordirent dans les éclairs en laissant vagabonder leur regard sur les animaux empaillés et la pile de linge repassé.

Lukas mit un peu plus de trois semaines à terminer. Il avait relu le *Nouveau Manuel du naturaliste préparateur* du Dr Boitard et les méthodes d'embaumement de Béclard, pour le plaisir.

Le mannequin fut construit en bois et en polystyrène. Lukas avait gardé les os du bassin qu'il avait passés au savon arsenical avant de les fixer à la structure. Comme une ultime fidélité.

Chaque matin il allait prendre un crème à la brasserie Lorette. Un petit soleil de printemps commençait à s'aventurer dans la cour où les pavés dessinaient des cases d'échiquier en séchant. Quand il avait plu, les pavés ne séchaient pas à la même vitesse. Lukas avait déjà remarqué ça. C'étaient toujours les mêmes qui se réchauffaient le plus rapidement. Certains pavés, l'hiver, restaient perpétuellement humides. On ne marchait jamais dessus avec plaisir.

L'été il arrivait à Lukas de sortir pieds nus dans la cour. Il sentait alors la température de chaque pavé sur sa peau. Aux fenêtres, les gens de l'immeuble pouvaient le voir dessiner de grands pas hystériques, dans une danse désordonnée, à la recherche des endroits tièdes. L'après-midi, quand le soleil avait donné à plein, c'était l'inverse : Lukas valsait dans la cour pour éviter les pavés brûlants.

*

Il était satisfait. Les bains de tannage avaient conservé son brillant au poil. L'alun avait pénétré la peau en profondeur et il lui fut facile de la monter sur le mannequin.

C'était l'opération la plus émouvante, avec le fixage des yeux. Jusque-là tout n'était que technique, bricolage et manipulations séparées. On ne s'était occupé que de *parties*, on avait morcelé le travail. Mais quand on montait la peau sur le mannequin, c'était comme si la vie prenait forme.

Le furet avait pris du volume. Une respiration. Lukas l'avait recousu au catgut n° 4. Ce n'était plus un corps aplati qu'on brinquebalait dans tous les sens et dont la tête pendait. C'était un animal debout, avec une présence. Désormais il n'aurait pas eu sa place dans un frigo entre des yaourts et un pâté.

Lukas avait des notions très précises de son métier. La tâche du taxidermiste n'était en aucun cas un travail de copiste. L'artiste n'avait pas à dupliquer, mais bien à interpréter un mouvement suggéré. L'observateur ne devait pas voir une pose, mais un élan.

*

C'est cette question d'élan qui le préoccupait. La position allongée était à exclure. Trop morbide. L'idée même de lit était à bannir. Mais quelle posture idéale pour affirmer l'élan d'un corps humain?

Alors Lukas se souvint de son ancien locataire qui lui rapportait des ustensiles de l'hôpital. Et il sut comment il s'y prendrait.

Ils l'appelaient tous les deux jours. À la même heure. Midi et demi.

– On ne voudrait pas vous déranger dans votre travail.

Ils évoquaient le furet. Parlaient de la Manche qui bleuissait, du noyer qui verdissait. Et d'eux qui vieillissaient.

– Imaginez-vous qu'elle m'a fait une bronchite.

Là-bas Léonce comptait les gouttes. Charlotte se laissait faire.

– Il n'a pas voulu que je sorte. Même dans le jardin. Alors qu'il faudrait bien commencer à planter des fleurs.

À ce propos elle hésitait, sous le porche à l'entrée, vous n'avez sans doute pas remarqué, le macramé. Avec son cache-pot suspendu.

– Je me demandais si un lierre...

Qu'aimait-il, lui, Lukas?

Ils parlaient de tout et de rien. Du prix des tourteaux sur le marché Sainte-Catherine, des programmes télé, des nouvelles lignes SNCF et des modes idiotes. Est-ce qu'il aimait ça aussi, les tourteaux?

Léonce avait acheté du guignolet. Et du whisky.

63

– Vingt ans d'âge, précisa-t-il. Et du cognac parce que je suis sûr que vous en buvez, moi-même je ne...

Charlotte reprenait le combiné, elle avait trouvé une robe dans un nouveau magasin de Honfleur, avec le dos plissé, légèrement cintrée, couleur parme avec des épaulettes.

Léonce revenait à l'appareil. Est-ce que Lukas avait regardé le match de l'équipe de France ? Charlotte le lui arrachait. Elle avait été obligée de reprendre la taille, oh à peine un centimètre.

– La glycine ? répéta-t-elle, songeuse.

Ils ne lui demandèrent jamais quand il comptait revenir.

*

Un jour Lukas envisagea sa visite pour la semaine suivante. Il venait de finir le furet. Et il avait compris comment il leur donnerait de l'élan.

Il ne ferma qu'une valise, cette fois remplie de vêtements. Il mit le furet dans le coffre et prit la route de bonne heure.

Il ne l'avait pas fixé, comme c'est la coutume, sur une planche en bois. La planche, si elle offre l'avantage de stabiliser un mouvement déséquilibré, présente l'inconvénient d'une trop flagrante mise en espace. Ça fait trophée.

Il arriva à Honfleur à temps pour le petit déjeuner à l'hôtel aux volets mauves. Le printemps mettait du soleil sur la mer. La maman de Coline portait une jupe portefeuille un peu trop élégante pour cette atmosphère printanière. Elle poussait toujours la porte vitrée de la cuisine, coupait toujours en deux les petits pains de ses clients et roulait toujours son cul au-dessus de ses longues jambes.

– Coline est à l'école? demanda Lukas.

Elle ne répondit que d'un hochement de tête méfiant, en posant le pot de grès fumant.

Il prit la même chambre. Les volets étaient ouverts.

– Je crois qu'elle a bien compris les parallèles, dit-elle en ouvrant la fenêtre.

Elle disparaissait dans un envol furtif de jupe.
Lukas apprécia l'attention.

★

Durant plusieurs jours il épia ses petits vieux. Il avait apporté les jumelles et venait se poster derrière les thuyas. Il ne les avait pas prévenus de sa présence à Honfleur.

★

Ils firent une escapade à Honfleur. Lukas les suivit de loin. Ils achetèrent des produits ménagers chez le vieux droguiste de Saint-Léonard avant de marcher jusqu'au port pour jeter du pain aux mouettes. Ils rentrèrent le soir à la maison où Lukas les vit faire une platée de spaghettis qu'ils mangèrent au salon.

Lukas dîna près de son hôtel et ne retrouva la petite fille que le lendemain matin. Elle sembla contente de le revoir. Il y avait du miel et de la confiture de groseilles au petit déjeuner.

— Bonjour Coline. Je t'ai rapporté quelque chose.

Il avala la dernière bouchée et fila jusqu'à sa voiture.

— Qu'est-ce que c'est ?

— Un furet.

— Un vrai ?

— Très vrai.

La fillette caressa l'animal empaillé d'une main respectueuse. Elle voulut l'emmener à l'école. Sa mère le lui interdit.

Le soir même, alors que Lukas partageait un verre

66

au comptoir avec le patron, elle alla le chercher. Elle l'attrapa par le dos et le fit courir sur le zinc en chantant.

– Il court il court le furet.

Lukas sut qu'il avait bien fait de ne pas opter pour la planche.

★

Le deuxième jour, ses petits vieux restèrent à la maison et lui derrière les thuyas. Charlotte avait ouvert un nouveau roman qu'elle lisait dans son fauteuil. *Flocon est de retour.* Lukas découvrirait qu'elle en avait toute une collection dans sa chambre.

Léonce rapportait des soldats qu'il disposait sur la table basse. Il passait la pointe du pinceau sur un bonnet, une botte, quelquefois une main tendue dans l'agonie. Lunettes au bout du nez, il faisait vivre ou mourir. D'un trait il jetait les dés du hasard, distribuant au petit bonheur la chance ou la malchance. En repeignant un bouton d'uniforme, par exemple, il eut l'idée d'y planter la baïonnette ennemie. Lukas dans ses jumelles suivit tout ça. Le bouton sauva le soldat. Pour cette fois.

Léonce quitta le salon. Charlotte se dirigea vers le téléphone. Elle était en robe de chambre. Le portable de Lukas vibra. Il prit la ligne et Charlotte ne sut jamais qu'elle lui parlait alors qu'il l'observait de l'autre côté des thuyas.

– Une matinée splendide. Et vous?

Il la voyait se tourner vers la haie derrière laquelle il se baissa d'un mouvement brusque.

– Nous sommes invités à déjeuner. J'ai mis ma robe parme, vous savez.

Elle pivotait en minaudant, toute seule dans sa robe de chambre. Lukas écouta le mensonge avec une petite pointe de tristesse au fond de l'estomac.

Charlotte resta en robe de chambre toute la journée. Ils n'allèrent pas déjeuner dehors, chez aucun ami. Lukas les vit manger dans la cuisine, tous les deux.

*

Le troisième jour Léonce sortit la voiture du garage et ils allèrent chez un pépiniériste dans le village voisin. Lukas les vit marcher devant des plants d'azalées et Charlotte mit beaucoup de temps à choisir une glycine.

C'est ce troisième jour qu'il surprit une scène dont il ne comprit pas la signification. Il les observait depuis la haie de thuyas. Charlotte et Léonce s'étaient assis, épuisés. Or d'un seul coup, alors que rien ne le laissait prévoir, ils se mirent à se contorsionner sur leur fauteuil. Rien d'hystérique, mais une chorégraphie pleine de mesure.

Lukas crut à une forme de taï chi de vieux. Un taï chi sur fauteuil. Il suivit, ahuri, leurs gesticulations cérémonieuses. Charlotte et Léonce changeaient d'attitude et se figeaient, comme sous l'œil d'un photographe.

C'est ce qui décida Lukas. Il acheta un appareil à Honfleur.

*

Ils recommencèrent leur manège les jours suivants. Installés chacun dans son fauteuil, ils prenaient des poses, l'un en face de l'autre, l'un *pour* l'autre. Lukas les saisit au zoom. Paparazzi de ses vieux, il mitraillait, sans savoir encore ce qu'ils faisaient.

– Comme ça?
– Pas mal.
Eux aussi ils y avaient pensé.
– Les genoux?
– Plus haut.
La posture.
– Le pied plus lâche.
– La cheville tu veux dire?
L'horizontalité, à eux aussi, faisait peur. Ils l'avaient
rejetée d'un commun accord.
– Oui. Plus souple.
– Là?
Assis dans leurs fauteuils, ils faisaient des essais.
– Une main dans la poche?
– Très distingué.
Léonce croisait les jambes, Charlotte commentait.
Et le cartel battait la mesure.
– La joue dans la paume? Ça pourrait me donner
un genre.
– Je n'aime pas du tout.
– Juste trois doigts?
– Léonce, ça fait vieil académicien.
Leurs articulations craquaient. Ils attendaient

Lukas. Il avait dit cette semaine. Ils testaient leurs dernières idées.

– Je pourrais jouer avec mes mains.

– Tu pourrais.

– Me recoiffer, par exemple. Regarde, prise sur le vif devant mon miroir.

– Tous les jours, Charlotte, n'oublie pas ça.

– C'est juste.

– Perpétuellement devant ton miroir, à te recoiffer.

– Je reconnais. Ça t'agacerait.

Ils se regardaient. Comme jamais ils ne s'étaient regardés.

– Et si je me tenais penchée sur le côté ? La hanche légèrement sortie ?

– Tu t'assois souvent comme ça.

– Oui, hein.

– Et j'aime bien.

Dans chaque posture, chaque détail, ils essayaient encore.

– Il y a une autre option : les doigts croisés devant moi.

– Sur le ventre, comme un vieux ? Tu n'y penses pas Léonce.

Ils n'avaient plus d'âge.

– Il y aurait bien sûr la pipe à la main.

– Toute la journée.

– C'est trop.

– Je crois.

Ils essayaient encore de se capter, de s'atteindre.

– Surtout pour toi.

Ils s'appliquaient avec la gravité sérieuse des enfants, se moquaient avec la légèreté des vieillards.

71

C'est sur ces mots que Lukas s'avança dans le salon.

– J'ai frappé.

Aucun des deux n'avait eu le temps de casser la pose. Ils se redressaient. Peut-être était-il là depuis longtemps? songea Léonce en déplissant son pantalon. N'était-il pas entré en douce? Exprès pour les épier?

– Nous avons réfléchi, Lukas, et nous avons pensé...

– Pour ce qui est de la position générale. C'est important, la position générale.

Alors voilà, ils avaient imaginé. Pas debout raide sur une planche, bien sûr. L'idée de la planche ne leur était pas venue, c'est une technique pour initiés. Non, mais dans leurs fauteuils.

– Celui-ci? désignait Lukas.

– Et celui-là.

De droite pour elle, de gauche pour lui. Leurs préférés.

– Alors y a pas à hésiter, dit Lukas.

★

Le résultat de l'art taxidermiste est toujours statique. Lukas le savait bien. C'était le reproche. On n'y échappait pas. Le côté « nature morte ».

– J'ai potassé des ouvrages de mécanique.

Le verre de whisky en face de lui resta en suspens.

– Vous restez déjeuner avec nous?

Lukas dit qu'il suffirait d'usiner des articulations.

– En titane, précisa-t-il. Très léger. Pour les genoux. À verrouillage commandé. Deux autres pour les cols de fémur et deux pour les chevilles.

Histoire de varier les positions.

– Jambes croisées, dit-il en faisant la démonstration, décroisées, pliées, dépliées.

– Très original.

– Les pieds à plat au sol, pointe relevée, ou sur un pouf.

– Sur un pouf?

– Au choix.

Léonce repoussait son verre vide.

– Faudrait pas que ça fasse trop marionnette.

Charlotte tournait la tête un peu brutalement.

– Léonce, pense au verrouillage.

Il y eut un moment de flottement ridicule. Le vieil homme s'était levé pour prendre sa pipe mais il ne l'alluma pas. Tout juste remplit-il le fourneau d'un geste automatique. Charlotte raflait les verres et partait à la cuisine. Tous les gestes semblaient automatiques, avec une régularité de métronome, à l'image du cartel dans son cabinet en laiton doré.

*

Ce fut un peu plus tard, au moment du café, que Charlotte tenta :

– Parce que debout?

– Difficile, jugea Lukas. Question d'équilibre.

– Les pieds bien écartés à 10h10?

– L'esthétique en souffrirait. Et la stabilité.

– La stabilité, reprit Léonce.

Mais elle ne lâchait pas si facilement.

73

– Même en plombant les semelles?

Lukas la dévisageait. Elle étirait son habituel petit sourire de vieille dame indigne.

– Je ne sais pas, je réfléchis.

Il y eut de nouveau un moment de flottement. Cette fois rythmé par la pipe allumée de Léonce et ses traits de fumée tiède. Lukas alla chercher la cafetière à la cuisine.

– Je l'ai fait léger.

– Le café?

– Faudra quand même vous habituer à diminuer. Ce n'est pas très bon.

– Pas très bon pour?

– Vous.

– Pour nous?

– Pour votre sommeil.

– C'est gentil, ça.

– C'est la première fois que vous vous préoccupez de nous.

– Je ne fais que ça.

– De notre bien-être, dit Léonce. En amateur.

– Gratuitement, dit Charlotte. De nous *vivants*.

Ils hésitèrent à aller à Honfleur. Lukas ne leur avait pas dit qu'il y était installé depuis plusieurs jours. Auraient-ils exigé qu'il reprenne ses affaires à l'hôtel pour les rapporter ici? Il le pensait.

Ils marchèrent seulement dans le jardin autour du noyer. Léonce fumait. Charlotte avait pris le bras de Lukas. Les feuilles devenaient vert pâle.

– Quel est votre arbre préféré, Lukas?

Il sentait le bras contre le sien, dont il devinait l'os. Ils longeaient la haie de thuyas.

– Il faudra penser à la tailler.

Lukas cherchait dans ses poches, allumait une cigarette. Ils dépassaient l'arrière du garage, contournaient la maison. Il faillit leur demander, pour la différence de crépi. Il ne dit rien.

– Et puis il y a ce lavabo dans la salle de bains du haut.

Léonce appellerait le plombier dans l'après-midi. Ils étaient devant la façade.

– Vous avez remarqué?

– Quoi donc?

– Sous le porche.

Le macramé. Avec sa coulée de mauve.

- Oui, dit Lukas, la glycine.

Les yeux de Charlotte pétillèrent. Il ne réalisa pas tout de suite qu'elle l'avait fait pour lui.

Lukas jeta son mégot par-dessus la clôture. Il ouvrait la portière de sa voiture. Il n'allait pas partir maintenant?

- Pas déjà?

Il ressortait l'appareil photo.

*

Il dévissa le zoom pour adapter un objectif de portrait et leur demanda de reprendre les positions.

- Vous voulez?

Léonce changea de pantalon. Charlotte se repoudra.

- Relevez la tête. Le regard dans le vague.

Lukas se demandait si tout cela était utile.

- Vers moi maintenant. Je veux voir vos yeux.

Ils riaient, gênés, fixaient l'objectif. Et derrière l'objectif ils fixaient la présence de Lukas. Et derrière Lukas, peut-être, la présence de tous les autres. Ne le comprenait-il pas? Ses deux vieux n'avaient pas imaginé ce projet par hasard. C'était une nouvelle séduction qu'ils recherchaient. Un regain d'amour. En être l'objet. Encore.

- Souriez.

Ces deux-là partaient en croisade. Derrière l'objectif, ce n'était pas seulement Lukas qui les regardait. C'était une humanité, silencieuse, invisible, à laquelle ils s'offraient en offrant leur corps sous le meilleur angle.

- Oui. Oui.

Soixante-quinze ans chacun, cent cinquante à eux

deux. Lukas ne sentait-il pas l'enjeu du pari de ses deux vieux ? Cent cinquante ans d'une vie qui voulait du rab.

*

– C'est fini ?
Lukas rembobinait. Il surprit des rides de détresse aux coins des yeux. Il changea de pellicule. C'était idiot. C'était trop.
– Couleur, dit-il. Très important.
Et ce n'était pas vrai.
Léonce avait attrapé sa pipe. Mâchoires viriles autour du tuyau. Droit devant l'objectif et rentrait le ventre.
– Ça faisait longtemps que personne ne nous avait pris en photo.
– Moins raide, s'il vous plaît.
– La dernière fois ce devait être...
Sur les bateaux-mouches. Un professionnel.
– Plus de quarante ans. On n'y est pas remontés depuis.
Il regardait un espace flou, loin sans doute vers sa jeunesse.
– Il y a bien celles du mariage.
Il se demandait si Charlotte les avait gardées. De toute façon ces photos-là « seraient trop datées ».
– Mettez-vous de trois quarts, demanda Lukas.
C'était au mois de mai. À la mairie du XVIIe.
– Repas de noces à Chantilly. Son père avait bien fait les choses. Il y avait des chouquettes au caramel et Charlotte portait une robe en mousseline.
– Encore, dit Lukas.

77

Et une course de chevaux sur l'hippodrome.

– Ça sentait le crottin. C'était merveilleux.

Finalement, ils n'avaient été photographiés que par des professionnels.

★

Alors que Charlotte remontait les escaliers, Lukas s'était précipité sur l'ourlet de sa robe. En bas du mollet, gros comme une pièce de deux euros. Un bleu.

– Un tout petit, dit-elle.

Elle s'était cognée le matin en passant l'aspirateur.

– Ah non alors !

Lukas traversa le salon. Plus d'aspirateur ! Si c'était pour lui faire éclater des vaisseaux !

– Je vous le confisque.

Il l'avait trouvé dans le placard de l'entrée et aussitôt était allé le mettre dans le coffre de sa voiture sous les gros yeux arrondis de ses vieux.

– Vous partez ?

– Il va falloir que je développe.

– Vous pouvez le faire ici.

Léonce l'attrapait par le coude.

– J'ai fait de la photo moi aussi. Oh, en amateur. Il me reste le matériel. Je ne pense pas qu'il soit périmé. Vous pouvez vous installer dans la salle de bains du bas.

★

Lukas ressortait. Les photos séchaient au-dessus de la baignoire. Il ne capta pas tout de suite le son de hautbois.

78

– Alors ?

– Pas mal, je crois.

Ils avaient mis *Dialogues* de Richard Phillips. Cinq pièces pour deux hautbois. Commandé à la Fnac du Havre. Pour lui.

– On peut voir ?

– Quelques minutes encore.

Il fallait tromper l'impatience. Léonce l'emmena en Égypte derrière la porte où Bonaparte rassemblait en hâte dix mille hommes.

– Pour écraser une expédition turque débarquée près d'Alexandrie, dit Léonce.

Lukas reconnaissait les traits du jeune général entre les corps de Bessières et de Lannes. Des forts carrés étaient construits en bois. Il y avait des toiles de tentes regroupées sur le sol sablonneux collé à la glu.

Dans la baie d'Aboukir étaient figurées des felouques aux petites voiles blanches affalées sous l'absence de vent.

Mais là n'était pas l'intérêt. Léonce ramenait Lukas sur terre pour suivre la charge des cavaliers secondés par les troupes de Destaing à l'ouest.

– La cavalerie de Murat déborde les défenses turques dont une partie se réfugie dans le château d'Aboukir.

Certains chevaux avaient perdu leur cavalier et couraient, désordonnés, entre les palmiers.

– Jusqu'au 2 août.

Le fort d'Aboukir conquis, la victoire était consommée. La chambre fut quittée.

Ils regagnaient le salon, abandonnant Bonaparte à son Égypte à plat.

– Nous souhaitons y mettre du nôtre, fit Charlotte.

– Ça m'aidera beaucoup, dit Lukas. Votre comportement me sera d'un grand secours. Je vous surveille, l'air de rien.

– Nous savons.

– L'autre jour, par exemple.

Il leur avouait. Pas tout. Il ne leur dit pas les heures de guet à la jumelle de l'autre côté des thuyas. Mais qu'il les avait suivis jusqu'au port. Et qu'il était au Jardin retrouvé.

– Nous savons, répétaient ses deux vieux, l'œil malin.

– Vous m'avez vu ?

– Il était inutile de vous cacher derrière votre journal. Lukas ! Un journal troué ! Ça faisait très série B.

– Et mardi, ajoutait Charlotte, au bois du Breuil.

Lukas avait apprécié leur idée de promenade.

– Oxygénation maximale, dit-il. Très très bon. Je vous avouerai même que vous m'avez fait souffrir. Vous êtes de redoutables marcheurs.

– Il ne faudrait tout de même pas que...

Lukas les rassurait. Il savait être discret. Et c'était bon pour eux, pour lui. Oui mais... Léonce était soucieux.

– Vous me faites peur parfois.

– Léonce !

– Je me demande si c'est raisonnable.

Le vieil homme remâchait son idée. Ses phrases se faisaient plus lourdes.

– Je pense à tous ces exercices physiques. Toutes ces marches forcées. Lukas, est-ce que c'est vraiment *bon pour vous* ?

– Il vient de te le dire.

– Oui mais Charlotte : s'il a du mal à nous suivre.

Elle portait ses mains à ses lèvres.

– Mon Dieu j'y avais pas pensé!

Léonce fixait Lukas. Vous vous faites suivre?

– Du point de vue cardiaque, je veux dire?

– C'est vrai, ça. Faudrait pas que vous nous lâchiez.

La boîte à outils de Léonce contenait des clés propres. Même les tournevis, dans la main de Lukas, paraissaient neufs.

– C'est si gentil de votre part. Si vous n'y arrivez pas...

Le buste engagé sous le lavabo, il observait le siphon.

– Ne faites pas attention au désordre.

Charlotte avait raflé une paire de bas et une serviette sale. Elle restait debout, à se balancer d'une jambe sur l'autre. C'était déjà un peu sur leur vie que Lukas se penchait.

– Ne vous faites pas mal.

Elle se balançait toujours.

– Il me faudrait des torchons et une bassine, dit-il. Et si vous aviez une tige en fer.

Elle avait cavalé jusqu'à la cuisine.

Lukas passait la main sur les flacons, les deux brosses à cheveux, la pierre ponce posée sur le rebord de la baignoire qui gardait les traces de calcaire. Une barre chromée était fixée au mur, pour prendre appui.

Il n'avait pu s'empêcher d'ouvrir les placards. Léonce se rasait à la main. Charlotte utilisait des pro-

duits à la vanille et des huiles de pépin de raisin.
Lukas reconnut les bouteilles de *Charme d'un soir* et
de *Gentleman caballero*. Deux paires de pantoufles
sous le meuble. Il avait remarqué celles de Léonce,
dont la droite était légèrement déformée par son cor.

– Tenez. Je n'ai trouvé que ça.

Elle remontait avec une bassine et des torchons.
Elle avait pris des débouche-pipes en guise d'écou-
villon.

– Charlotte, c'est trop petit.

C'est à ce moment-là qu'on entendit le ronronne-
ment du moteur dans le garage.

– Léonce ?

Il fallut peu de temps pour que Charlotte avoue la
vérité.

– Il va à Honfleur. On a décidé que...

Qu'il rapporterait les affaires de Lukas. Ils connaissaient l'hôtel. Ils ne voulaient pas qu'il reste coucher
là-bas.

– Si si si. J'insiste.

Lukas devinait-il déjà que Léonce réglerait sa note ?

★

Ce qu'il ne pouvait savoir encore, c'est que Léonce
en revenant perdrait le contrôle de sa voiture. Il avait
mis la valise de Lukas dans le coffre et avait payé sa
note d'hôtel. Avait-il reconnu le furet entre les mains
de Coline ?

À la sortie de Honfleur, la voiture avait quitté la
route.

– Impossible de savoir exactement, dit l'infirmière
au téléphone.

La gendarmerie n'avait relevé aucune trace de freinage.

– Sans doute un assoupissement.

Lukas répétait à Charlotte chaque phrase de la fille.

– Ou un malaise.

Même beaucoup plus tard, il n'aurait pas su expliquer pourquoi c'était lui, Lukas, et non Charlotte, qui écoutait l'infirmière au téléphone.

– Des contusions au visage. On va lui faire passer un scanner par précaution. Le genou, un peu plus sérieux, fracture de la rotule.

Avait-il réellement décroché de lui-même ?

– Il faudra prévoir une intervention.

Lukas aurait du mal à reconstituer la chronologie des faits. Et surtout à répondre à cette question : pourquoi était-ce lui qui tenait le téléphone à son oreille, parlait à l'infirmière, notait les renseignements, le service, et demandait combien de temps.

– Impossible à dire encore. Une semaine au moins.

Il raccrocha.

– Hôpital d'Equemauville. Je vais vous conduire.

Charlotte courut dans toute la maison, brouillonne, inutile.

– Son pyjama, sa robe de chambre, ses mules. Qu'est-ce qu'il lui faut d'autre, Lukas, à votre avis ?

Il l'aidait à mettre les affaires dans un sac de voyage. Le dentifrice et la brosse à dents. *Gentleman caballero.* Charlotte ouvrait les placards en grand.

– Son savon, vous pensez ?

Pour peau sensible. Lukas avait tendu la main.

– Ça ira je crois, Charlotte.

Elle avait tenté de glisser des sels pour le bain.

*

Dans les couloirs de l'hôpital elle marchait à petits pas pressés, la tête levée sur le numéro des chambres. Elle avait pris la main de Lukas.

Léonce les accueillit d'un sourire las, le dos à plat dans le lit dont il avait enlevé les oreillers. Charlotte eut peur. Cette *horizontalité*.

– Ne vous inquiétez pas, les rassurerait le chef du service. La colonne n'a rien, le cerveau non plus.

Pour la rotule, après l'opération il faudrait prévoir.

– Vous pourrez faire venir un kiné à la maison.

Interdiction de reprendre le volant, évidemment. Est-ce que la mairie organisait des livraisons de repas chauds?

– Ce n'est plus un jeune homme.

Il y eut un malentendu amusant. Pendant tout le reste de l'entretien, le médecin s'adressa à Lukas.

– Vous ne vivez plus avec eux, j'imagine. Vous leur rendez visite souvent? Vous habitez la région?

Lukas n'avait pas dit non.

*

Léonce chercha à se redresser. Charlotte lui passa l'oreiller. Puis elle ouvrit le sac, déballa les affaires qu'elle disposa sur la table de chevet, dans le placard et sur l'étagère de l'espace toilette. Lukas glissa les mules sous le lit.

Léonce avait des difficultés à parler à cause de ses lèvres enflées. L'arcade sourcilière gauche avait éclaté, les pommettes et le nez avaient souffert.

85

– Vous n'aviez pas votre ceinture, dit Lukas. Vous avez eu de la chance.

C'est le genou qui embêtait Léonce. Après l'opération, le plâtre, puis la rééducation. Il en aurait pour plusieurs semaines à rester tranquille.

– Tu vas pouvoir refaire les uniformes de la Grande Armée.

Ce ne fut qu'une fois dans la voiture, alors qu'ils roulaient vers la maison, que Lukas eut un doute.

– Tous ces pansements, faisait Charlotte.

– Ce ne sont que des petits hématomes.

– Et si c'était profond?

Sous les pansements, on ne pouvait pas se rendre compte.

Lukas eut envie de pousser le CD. Pour que des hautbois lui viennent en aide. Il alluma une cigarette.

– Mon pauvre Léonce abîmé... répétait-elle, ailleurs.

★

La gendarmerie lui indiqua l'adresse du garage. Lukas alla récupérer sa valise et découvrit l'état de la voiture. Il ne prit pas la direction du centre-ville ni celle de l'hôtel. Il acheta du pain, une quiche lorraine, des yaourts aux framboises et rentra à la maison.

Quand il arriva, Charlotte était dans la chambre du bas.

– Aidez-moi.

Elle faisait glisser des armées dans un carton.

– On va faire de la place.

C'était la bataille de Wagram. Lukas en souleva le

86

relief pour aller le poser contre un mur du garage. Des morceaux de forêts se décrochèrent.

L'espace libéré permettait d'ouvrir le clic-clac. Et en poussant d'autres batailles au plus près des cloisons on pouvait désormais tourner dans la pièce.

– Parce que vous n'allez pas partir ce soir ? Vous n'allez pas me laisser ?

Lukas ne joua pas l'étonnement.

Peut-être en avait-il déjà envie.

*

La chambre n'avait jamais servi. Lukas y serait indépendant. Avec une salle de bains pour lui. Charlotte ne voulait pas lui imposer la leur, ni leur empreinte de vieillards.

Ils dînèrent dans la cuisine. Elle fit réchauffer la quiche et lui donna une serviette neuve.

Pour regarder la télé, plus tard, il n'hésita pas et elle le laissa faire : il s'installa dans le fauteuil de gauche.

Après l'intervention, Léonce fut placé dans une cage à poulies où il resta un peu plus d'une semaine avant de pouvoir regagner la maison. Lukas l'aida à monter l'escalier. Charlotte trottait derrière, passant par-ci par-là un coup de chiffon sur la rampe en bois.

Léonce resta d'abord sur son lit, la jambe en déclive. Il n'avait pas demandé de figurine à repeindre. Même Exelmans ne faisait pas partie de ses préoccupations. Il se laissait plaindre doucement, émettant des envies de polonaises.

Lukas trouva les coordonnées d'une kinésithérapeute dont la voix au téléphone lui parut efficace, malgré les véhémentes réticences du vieux à se faire manipuler par une femme.

*

Le plâtre enlevé, dès le troisième jour Léonce tentait de marcher seul.

— Il peut très bien y arriver, commenta Charlotte en l'observant claudiquer entre les fauteuils.

Le printemps était installé. Léonce sortait dans le

jardin fumer une pipe, penché sur la canne que Lukas était allé lui acheter. Le vieil homme reprenait goût à la vie, luttait. Et dans une ultime bataille du bout de la canne, la chambre du bas fut totalement libérée.

– La ville de Brno. Ici, deux ruisseaux se rejoignent pour former le Goldbach.

Le bout caoutchouté suivait l'eau bleue qui traversait des villages avant de se terminer dans les étangs de Satschan et Menitz.

– Tous les deux gelés. J'ai eu du mal à le rendre. Peinture à l'huile recouverte de vernis. Plusieurs couches : ça fait briller.

Au nord, les contreforts de la Suisse morave sur lesquels s'appuierait la Grande Armée.

– Les observatoires de Napoléon seront le tertre de Zurán et le Stary-Vinhorady. Ici, vous voyez Lukas. Et là.

Léonce pivotait sur sa bonne jambe.

– On ne peut pas saisir la bataille d'Austerlitz sans prendre en compte celle d'Ulm.

Il pointait la scène du 20 octobre 1805 où le 4e corps de Soult interceptait la route du Tyrol pendant que Murat, Lannes et Ney se portaient sur Ulm par les deux rives du Danube.

– Vous comprenez, Lukas ?

La grande scène de la capitulation était devant eux. Léonce avait pris modèle sur le tableau de Thevenin en évitant les erreurs.

– La toile comporte des anachronismes, certains régiments n'existaient pas en 1805. Et surtout, Murat. Regardez-le, il est ici, en blanc. Vous vous rendez compte, Lukas ! Thevenin l'a représenté en tenue blanche de grand-duc de Berg. Grossière erreur ! Ce ne sera qu'après la bataille d'Austerlitz que Murat recevra ce titre.

Désormais, Napoléon allait se tourner contre les Russes de Koutousov.

*

– À gauche : la cavalerie de Murat et le 5e corps de Lannes. Au centre : le 4e corps de Soult, la masse de manœuvre qui prendra le plateau de Pratzen. Et à droite : la division Legrand, la division Friant et les cavaleries Bourcier et Margaron qui bloqueront l'avance des colonnes russes.

En plomb. Un peu moins précis que la résine. C'était le problème, selon Léonce.

– Le 2 décembre, vers huit heures trente, le brouillard s'est dissipé et laisse apparaître le soleil.

Celui d'Austerlitz.

*

Comme il était encore un peu bancal, il resta sur une chaise pour commander les mouvements de Charlotte et de Lukas. Les soldats furent regroupés par corps d'armée, glissés dans des sachets en plastique étiquetés.

– Attention Lukas. Avec ceux-ci, grande délicatesse.

Les figurines Le Cimier en résine. L'opération fut à la fois comique et touchante. Léonce, visage sévère de général, mâchoires serrées, voyait disparaître ses hommes.

Les emballages occupèrent un pan de mur entier du garage. Il fallut ressortir le premier carton de

Wagram pour récupérer le Napoléon de chez EMI, 54 mm.

— Une création de Laruccia, dit Léonce en caressant son empereur droit sur les étriers, le bras tendu.

Ils sont forts ces Italiens.

Il le garderait avec lui, dans sa chambre.

Léonce n'avait plus besoin de sa canne. En vérité, son cor au pied le gênait plus que son genou dont la kiné venait deux fois par semaine mobiliser l'articulation avec des gestes de moins en moins délicats. De la même façon qu'elle couchait avec Lukas.

Leurs ébats avaient pris en effet une tournure plus sportive. C'était une adepte de la pénétration. Lukas se rappelait que Clarisse aimait par-dessus tout les caresses de langue.

Il était resté chez ses deux vieux. Tout s'était passé naturellement. Il avait sorti la poubelle devant le portail, le premier soir du retour de Léonce, et il était rentré dans la maison en donnant un tour de clé.

— Qui tu es pour eux? demanda la kiné après son premier orgasme. Un neveu?

— Si on veut.

— Un garde-malade?

— Ils ne sont pas malades, dit Lukas.

— Un aide ménager?

C'était plutôt ça.

— Un aide pour ménager leur vie.

Lukas ne pouvait pas dire mieux.

Il entretenait le jardin. En taillant la haie de thuyas, il eut une pensée pour ses heures de guet à la jumelle. Il travaillait au sécateur électrique pour finir à la main. C'était un exercice physique et il réalisa qu'il en avait besoin. Il n'empaillait plus, quelque chose lui manquait.

Il n'était retourné à Paris qu'une seule fois pour prendre des affaires personnelles et récupérer son courrier. À cette occasion il pénétra dans son atelier désert avec la même sensation que Charlotte, des années plus tôt, entrant rue Guillaume-Tell dans celui de son père et y retrouvant les odeurs de poivre et de tiède.

Quelles odeurs retrouva Lukas? Seul dans le silence de son atelier, soupçonnait-il qu'il n'y reviendrait quasiment plus?

– Vous n'avez personne? avait dit Charlotte.

Vous n'avez personne, *vous non plus*, avait-elle dit précisément.

*

Un soir de séance pour Léonce, une panne de voiture avait obligé la kiné à venir à vélo. Lukas l'avait raccompagnée en fourrant le vélo dans le coffre. Elle habitait au-dessus de son cabinet, dans une petite rue à la sortie de Honfleur en direction de Deauville. Elle aimait la pénétration et gémissait dans les aigus, très haut.

Ils avaient ensuite utilisé la table de massage, dans le cabinet. Lukas pensait que le fantasme était inévi-

93

table. Cela ne lui procura aucune excitation particulière.

Il ne restait jamais dormir et revenait chez ses vieux. Quelquefois en pleine nuit, sur la pointe des pieds.

Lukas allait faire l'amour à Sonia l'après-midi, entre deux rendez-vous, parfois alors que le patient était déjà dans la salle d'attente et Sonia retenait ses cris.

– Il est encore parti tout l'après-midi, dit Charlotte. Il s'ennuie.

Puis dans la chambre du bas à la place des soldats.

– On pourrait peut-être commencer à espacer les séances ?

Si elle redoutait quelque chose, Charlotte se félicitait de l'état du visage de Léonce. Il ne garderait pas de cicatrices.

Tout de même, cet accident la faisait réfléchir.

– Je me demande si ce serait bien prudent de...

Reprendre une voiture. Ils en avaient parlé. Et ils étaient d'accord. On imagine les conséquences d'un nouveau malaise. Les dégâts d'un pare-brise explosé. Le visage plein d'éclats. Ils pensaient à leur projet. Alors ils avaient décidé. Plus de voiture.

Mais ce n'était pas tout. Ils avaient réfléchi plus loin.

– Du coup ça libère le garage.

Idéal pour un petit atelier.

– Il vous suffirait de rapporter vos instruments. Carrelet, bourroir, cure-crâne. Je ne me trompe pas? Vous voyez, j'ai bien retenu la leçon.

Lequel des deux acheva par :

– Comme ça vous aurez tout sous la main.

Il passait l'aspirateur entre les fauteuils. Ses deux vieux se réveillaient de plus en plus tard. Depuis quelque temps déjà Lukas était debout avant eux. Il faisait son jogging autour de la maison, sur les petites routes environnantes dans le premier soleil de l'été, et revenait préparer le café. L'aspirateur était resté longtemps dans le coffre de sa voiture. Il l'en avait ressorti à la fin du printemps.

Un matin, il avait surpris Charlotte sur la pointe des pieds, debout sur un tabouret.

– Qu'est-ce que vous faites?

La poussière au-dessus des meubles, bras tendu comme le Napoléon de EMI à Wagram.

– Vous n'y pensez pas, Charlotte, c'est trop haut!

Il lui avait aussitôt ordonné de redescendre. Songeait-elle à la chute? À ses cols de fémur? Ah non alors, l'altitude, désormais, c'est lui qui s'en chargerait.

– Il faudrait une femme de ménage, avait dit Léonce.

*

Lukas rédigea une annonce.

C'est ce jour-là que le vieil homme l'avait pris à part.

– Je voulais vous parler, au sujet de l'odeur.

– L'odeur?

– Celle de pipe.

– Ne vous inquiétez pas.

– Je ne crois pas.

– Quoi?

– Vous n'avez pas remarqué? Elle supporte de moins en moins. Elle ne veut pas me le dire, mais je le vois bien.

Léonce avait déjà bazardé les paquets. Les pipes, il les gardait un peu, c'était sentimental, les tripoter encore, quelquefois à la bouche, pour la beauté du geste.

– Mais à partir de maintenant, toujours à vide.

« À vide », avait songé Lukas.

– Vous comprenez, dit Léonce. Ce ne serait plus moi.

– Je vois.

– Or ce qu'elle veut : c'est moi.

L'affaire allait ressurgir de façon inattendue le soir même. Charlotte descendait l'escalier en robe de chambre, se retournait, jetait un regard à l'étage.

– Lukas, j'ai peur qu'il se prive.

– Qu'il se prive?

– Léonce est un homme délicat, vous savez.

Il ne comprenait pas.

– Depuis quelque temps il fume dehors, sur la terrasse. Ce n'est pas plus mal, notez bien. Ces pipes, à la longue. J'espère seulement que ce n'est pas à cause de...

Lukas ne disait rien.

– Je crois qu'il en est venu à se restreindre. Ce matin je ne trouve plus ses paquets. J'espère que ce n'est pas à cause de vous. Vous ne lui avez pas fait de réflexion, au moins ?

L'annonce n'avait rien donné. Sept ou huit postulantes s'étaient présentées. Aucune n'avait plu à Lukas. Il continuait de s'occuper du ménage.

La première, peut-être, aurait fait l'affaire. Mais c'étaient ses vieux qui l'avaient reçue et Charlotte, catégorique, l'avait rejetée.

— Il tourne en rond. Évidemment, sans travail.

Aussi avaient-ils décidé d'agir. Lukas avait pris rendez-vous chez le médecin. Petite visite de contrôle. Pour tous les deux. Et pour le genou de Léonce qui fonctionnait parfaitement. Ils n'étaient pas dupes.

— Vous n'aurez qu'à nous déposer. Il faut aussi qu'on passe chez le photographe.

Dans le cadre, Charlotte avait installé leurs portraits avec le chimpanzé suisse. Tous les deux. Elle et lui. De chaque côté. Ils souriaient autour du singe. Mais trop petits, jugeaient-ils. Ils avaient souhaité des agrandissements.

— Vous reviendrez nous chercher en fin d'après-midi.

Les rues de Honfleur étaient animées. Les premiers estivants avaient débarqué. Il faisait chaud. Lukas les laissa à la terrasse d'un salon de thé devant deux polonaises. Il alla boire une bière au comptoir en bois de son ancien hôtel.

Coline était partie en vacances chez ses grands-parents. Sa mère portait une jupe qui dévoilait des jambes déjà bronzées. Celles de Sonia étaient plus solides, blanches et dures. Lukas demanda des nouvelles du furet. La petite fille l'avait baptisé Cavale. Il passa prendre Sonia à son cabinet. Il voulait l'emmener chez ses vieux. L'idée parut la surprendre. C'était la première fois qu'ils étaient seuls à la maison.

Lukas ne put s'empêcher de l'entraîner dans le garage pour exhumer quelques figurines. Il souffla sur le Pô sans faire de vague.

– Bonaparte sépare les Piémontais des Autrichiens.

Il lui montra les Nemrod, les Aitna, les Soldiers, les Viriatus et les Romeo Models. Sonia n'y porta pas un grand intérêt.

– Vieillir, dit-elle, c'est comparer ses bonheurs.

Ils firent l'amour sur le clic-clac de la chambre de Lukas. Au milieu de l'après-midi.

Lukas ne disait plus « la chambre aux soldats ».

*

Elle cria très fort, avec un plaisir décuplé de sentir la maison des vieux autour d'elle, et peut-être aussi la présence des hommes dans le garage.

En appui sur ses avant-bras, elle cambrait les reins pour sortir le cul. C'était le meilleur angle pour que son sexe engloutisse la queue de Lukas. Elle commençait toujours par garder le gland un instant à l'entrée du vagin, comme une cerise dans la bouche, qui gonfle les joues. C'était ça qu'aimait d'abord éprouver Sonia : ce bigarreau qui lui gonflait le sexe comme un fruit trop gros.

★

– Ces glands qui pendent.
– Tu n'aimes pas ?
– Léonce.
– Avec les feuilles de chêne entrelacées.
– Il ne s'agit pas de moi.
– Tu as raison. Quelque chose de moderne, alors.
– Pas ringard.
– En bois ?
– C'est indémodable.
– Ça lui plaira ?
– Ou des tubulures d'acier. Qu'est-ce que tu en penses ?
– On ne le connaît pas encore assez.

Ils étaient sortis depuis longtemps de chez le médecin. Ils avaient longé la plage en regardant les cerfs-volants et les enfants.

Le genou de Léonce fonctionnait. Sa kiné n'était plus utile. Sonia continuerait cependant de venir, tous les quinze jours, *pour le plaisir*.

Ça ne plairait pas à Charlotte.

– Quelque chose de solide, disait-elle.
– Grand confort ?

Après une longue station devant la vitrine, ils étaient entrés dans le magasin où ils marchaient entre les lits.

– En cent quatre-vingt-dix ?
– Léonce, tu ne vas pas lui imposer un lit d'enfant.

Elle avait voulu dire un lit « une place ».

102

Lukas s'arrêtait à temps. Le lui laisser, ne pas le pousser encore. Simplement le lui abandonner. Puis Sonia sentait le manche venir, progressivement, tout entier et en ligne droite. Elle commençait à gémir à ce moment-là.

Son habitude était de saisir les bourses de Lukas. Elle les attrapait à pleine main et donnait la cadence. Lukas avait mal. Il savait qu'elle jouissait quand elle lâchait. Lukas songeait alors aux petits marrons séchés qu'il cousait dans les scrotums.

Ce jour-là dans sa chambre Sonia venait de jouir. Et Lukas éprouvait un manque. Il n'avait pas éjaculé. Le cul de Sonia n'était pas en cause. Quelque chose d'autre. Un vide quelque part, une absence. Lukas réalisa. Il lui manquait les regards de verre d'animaux empaillés.

★

Le soir même il informa ses deux vieux de son désir. Il n'avait pas encore d'idées précises, mais en tout cas le grand duc et le ragondin.

– Bien sûr Lukas ! Ils vous tiendront compagnie.
– Nous comprenons très bien que nous...
– J'irai demain. Il me faudra une camionnette. J'en profiterai pour rapporter du matériel.

Léonce avait pris une pipe qu'il s'empêchait d'allumer. Charlotte lançait des clins d'œil. Ils ne lui avaient pas dit, pour le lit. Et malgré la fatigue, le magasin, la marche le long de la plage, le soleil et les cris d'enfants, ils frétillaient dans leurs fauteuils.

– Nous vous avons aussi trouvé ceci.

Charlotte tendait le paquet cadeau. Elle regretta le « aussi » qui lui avait échappé.

– *Concerto K 271* de Mozart.

– Il y a des hautbois, dit Léonce.

Lukas estima le moment propice à l'exposition de son second projet. Il avait beaucoup réfléchi. Toujours ce problème de raideur. Alors il avait pensé. Voilà. Il les voyait très bien debout.

– Debout ? Mais vous nous avez dit que...

C'est là qu'intervenait l'idée de génie. Une potence.

– Pour vous tenir debout, dit Lukas. Enfin : vertical.

Aux moments de la journée où ils le souhaiteraient.

– Vous n'allez plus grandir maintenant. Je vous confectionne un crochet à hauteur de la nuque, pris dans la troisième cervicale.

Quelque chose de discret, masqué par le fermoir du collier ou derrière la cravate. En or ou en argent. Du luxueux. Inoxydable.

Ils visualisaient. Les hautbois de Mozart n'étaient pas encore là. On les attendait. Et brusquement Léonce s'enthousiasmait :

– À roulettes.

– Pardon ?

– La potence, dit-il. Pour pouvoir se trimballer.

Lukas n'avait pas pensé à ça. Les hautbois débarquaient.

– De pièce en pièce, embrayait Charlotte.

Toujours s'accompagner. Jamais se quitter.

Il prit la route de Paris au volant d'une camionnette de location. Pas de lecteur de CD, pas de hautbois. Il manœuvra pour passer le porche et pénétrer dans la cour, et il put se garer devant la porte de son atelier.

– Monsieur Lukas.

Le mari de la gardienne l'aida à charger.

– Alors vous nous quittez?

Lukas n'en était pas très sûr et choisit le grand duc.

– C'est temporaire, dit-il en pensant à ses vieux laissés devant leur petit déjeuner, plus comploteurs que jamais puisque c'était aujourd'hui, il l'ignorait, que serait livré son nouveau lit.

L'oiseau le fixait de son regard énigmatique. Lukas se rappelait les nuits avec Edwige. Combien de souvenirs pornos restaient imprimés dans ce regard de verre?

– Pourquoi on appelle ça un « grand duc », monsieur Lukas?

Le gardien observait l'oiseau dans les yeux, y cherchant des souvenirs de piaf mais sans doute pas d'images en couleur du cul d'Edwige.

– L'allure, dit Lukas, peut-être.

Le face-à-face était cocasse. Homme et rapace

semblaient aussi perplexes l'un que l'autre. Lukas ignorait que son gardien s'intéressait au souvenir. Plus précisément au thème de la persistance rétinienne.

— Ces images fixées sur la rétine, qui restent quelques instants après disparition de l'objet.

Ça le passionnait, le mari de la gardienne.

— Alors dans le cas d'un mort, monsieur Lukas?

— On va le mettre ici.

— La toute dernière image captée par l'œil. Elle reste gravée, non? Elle persiste.

— Attention au bec, il est fragile.

— Moi c'est ce que je pense. Et j'aurais voulu avoir votre avis. En tant que spécialiste.

En spécialiste de? La mort évidemment.

— Mais elle détruit tout, dit Lukas, la mort. C'est même à ça qu'on la reconnaît.

Oh oh, « détruit tout », ça dépendait du point de vue. Le gardien ne voulait pas y croire.

— Peut-être pas tout, marmonnait-il. Les os, les dents, ça reste. Ce n'est pas à vous que je vais l'apprendre. Alors? Les images sur une rétine?

Lukas ignorait que le mari de la gardienne récupérait les yeux des animaux dans les poubelles au fond de la cour. Et que le soir, dans le silence de l'immeuble endormi, il s'obstinait à les disséquer, dans son espoir insatiable de récupérer la dernière image imprimée.

Lukas fut saisi d'un doute. Le gardien ne l'aurait-il pas surpris, derrière les carreaux, en train de faire l'amour avec Edwige?

— Il a dû en voir celui-là... disait le bonhomme en abandonnant l'oiseau au fond de la camionnette.

– Ça me fait un drôle d'effet.
– Charlotte.
– C'est la première fois. Je me sens perdue.
– Je suis là.
– Bien sûr, Léonce. Mais il me manque. C'est bête.
– Il s'est juste absenté pour la journée.
– Il faut que je sois raisonnable. Dis-moi, tu crois qu'on s'habitue à lui?
– C'était le risque quand on l'a laissé s'installer ici.
– Quand on a *décidé* qu'il pourrait s'installer ici.
– Je ne sais plus dans quel sens les choses se sont faites. Mais à force, sans y prendre garde, fatalement.
– Trop?
– Il faut faire attention.
– Tu veux dire?
– Tout ça est insidieux.
– S'attacher?
– Il ne faudrait peut-être pas.
– Et lui?
– Lui aussi. C'est le risque.

*

Lukas s'était-il jamais « attaché » à un de ses sujets? C'était une question qu'il ne se posait pas. Ferdinand était-il dans le même cas? Il pouvait sans doute aimer un tableau, mais quand il se mettait au boulot ce mot n'avait plus de sens. Ferdinand nettoyait du vernis, de la peinture, remettait des pigments de couleur ou de la matière là où de la couleur et de la matière manquaient. Pas plus.

107

Lukas avait suivi sa blouse noire dans les couloirs, sous le Louvre. Ferdinand était venu le chercher à l'entrée du pavillon Denon.

– Ils sont là.

Il s'approchait d'un tiroir.

– J'ai essayé d'être le plus fidèle possible aux photos.

Ferdinand ouvrait une petite boîte, déplaçait l'épaisseur du coton d'où émergeaient deux regards de vieux. Quatre billes.

– Bon Dieu.

L'outremer de Charlotte piqueté de paillettes noisette en étoile. Le noir de Léonce avec ses reflets safran au bord de l'iris.

Ferdinand s'était même débrouillé pour injecter des coulées jaunâtres qui rendaient les yeux terriblement usés, terriblement vieux : terriblement là.

– C'est ça, dit Lukas.

*

– Il en a profité pour s'aérer.

– S'aérer de nous ?

– Voir des amis, à Paris.

– Il ne pense plus à nous, tu crois ?

– Rassure-toi, Charlotte.

– Tu me fais peur. *Aérer.* Tu as de ces mots.

Pendant que Charlotte exprimait ses doutes, Lukas retrouvait son ancien locataire à l'angle de la rue des Saints-Pères et de la rue de l'Université, dans un café en face de la fac de médecine.

Il n'avait pas changé. En quelle année était-il maintenant?

– Interne, répondit Bastien. Ça me fait plaisir de te voir.

– Tu as le temps de déjeuner?

C'était délicat à expliquer. Lukas au téléphone avait été bref. Il choisit de rester dans le vague. Bastien ne lui posait pas de questions. Avait-il deviné?

– J'ai fait mon possible, j'ai pu t'en trouver un.

– Un seul? dit Lukas.

– Attends. À part les acheter neufs, c'est quasiment introuvable! Ça se dégote pas comme ça, mon vieux. Les étudiants les revendent à ceux de première année.

Lui-même, Bastien, n'avait plus le sien depuis longtemps. C'était l'idée de Lukas : récupérer son squelette. Celui en plastique sur lequel il étudiait, rue Notre-Dame-de-Lorette.

Il commanda une omelette au lard en évoquant l'hiver où les canalisations d'eau avaient éclaté.

109

– Tu descendais chez moi.

Parce que celles du bas avaient tenu le coup. Bastien venait se laver sous la douche de Lukas.

– Je révisais sur un de tes établis.

Ils travaillaient ensemble, parfois des nuits entières, et Lukas faisait chauffer du café entre deux cadavres.

– Finalement on faisait rien d'autre que bosser sur des cadavres. Toi sur ceux d'animaux, moi sur ceux d'humains.

Lukas sut-il à cet instant que Bastien avait compris ?

– Sauf que toi c'était dans les livres. Les choses ont changé depuis.

Il connaissait la raison pour laquelle Lukas au téléphone lui avait demandé un squelette.

– Je l'avais racheté à une fille de sixième année. Il avait des brûlures de cigarette sur les humérus et il lui manquait des métacarpes au pied gauche.

Lukas pensait que cette idée lui éviterait un surplus de travail. Outre le fait que les squelettes tiendraient le rôle de mannequins, tout près de leur modèle, et qu'il pourrait évaluer certaines proportions, ça lui éviterait de fabriquer la potence.

– Il est en bon état ?

– Parfait, dit Bastien. Je l'ai piqué dans un amphi.

Ils traversèrent la rue après avoir avalé leur café.

– Si tu savais les blagues qu'on leur fait. Toujours les mêmes : un cigare au bec, des lunettes, un chapeau, parfois un godemiché entre les fémurs.

Lukas suivait Bastien jusqu'au troisième étage de la fac.

– Ça lui fera prendre l'air.

Bastien s'engageait dans un escalier, se retournait pour parler à Lukas.

– Je l'ai planqué dans un coffre à compteurs. L'ennui c'est qu'il est détaché de sa potence, mais tu n'en avais pas besoin?

Tant pis. Lukas achèterait des planches dans un magasin de bricolage. Ce serait du sur-mesure.

Ils franchissaient un demi-étage, prenaient à gauche. Une petite lueur brillait dans les yeux de Bastien depuis l'omelette.

– Tu vas voir... Surprise...

Quand il ouvrit le cagibi et qu'il alluma, l'ampoule dévoila d'abord le coffret à compteurs, puis deux personnages en plastique, l'un bouche ouverte et l'autre en couleur.

– Bastien.

À côté du squelette blanc, un écorché dévisageait Lukas de son œil à nu, énorme et rond, injecté de sang.

– Ça te fait plaisir?

« C'est trop », faillit dire Lukas en prenant l'écorché à bras-le-corps pendant que Bastien attrapait le squelette par les cervicales.

Le soir même il installait son matériel dans le garage en faisant attention à ne pas leur montrer les «mannequins». Charlotte et Léonce étaient tellement émus en poussant la porte de la chambre pour lui dévoiler son nouveau lit.

Il appela Bastien pour le remercier, puis le gardien de la rue Notre-Dame-de-Lorette pour lui demander de vérifier s'il avait bien coupé l'eau.

Après dîner, Léonce grimpa au grenier.

– Il va les chercher, souffla Charlotte.

Les gants.

– Ça fait longtemps...

Léonce redescendait une boîte en carton, l'ouvrait avec des gestes solennels. Charlotte y plongeait la main.

– Ils n'ont pas bougé.

– Nous non plus.

Leur histoire ancienne et leur agneau beurre frais.

– Ils ont gardé l'odeur.

Du magasin. De leurs vingt ans. Ils respiraient les gants.

– Tâtez la douceur, Lukas.

Lukas tâta.

– Vous aussi, en quelque sorte, vous êtes un connaisseur.

Il ne comprit pas. Connaisseur ? En souvenirs ?

– En peaux, dit Charlotte.

*

Ils étaient en agneau natté.

– Essayez-les, si vous voulez.

Lukas repoussait les gants. Il n'osait pas. Comme s'il violait leur histoire.

– Pas du tout.

– Au contraire.

– C'est comme si vous la visitiez. En invité. Hein Charlotte ?

– On vous laisse entrer.

C'était un peu trop pesant pour de simples gants. Trop grandiloquent. Lukas y glissa les mains.

– Un petit magasin. Fermez les yeux. Vous y êtes ? La porte est un peu dure, il faudrait la graisser ou passer le rabot.

– Mon père ne l'a jamais fait.

– Un grelot aigu, cliiing cliiing. D'abord le silence. Et puis au fond le cliquetis des machines à coudre, les découpeuses, les emboutisseuses.

– J'entends, dit Lukas.

– Des tiroirs le long des murs, jusqu'au plafond. Avec des poignées de cuivre. Une échelle sur rail pour atteindre les plus hauts. Des numéros gravés selon les tailles, les cuirs, les couleurs. Vous voyez ?

– Je vois, dit Lukas.

– Et partout dans le magasin : des mains.

– Des formes en bois, précisa Charlotte.

D'hommes, de femmes, d'enfants. La première vision de ces mains immobiles aux poignets tranchés était d'abord angoissante. Posées sur les tables, comme attentives, jaillies de nulle part. Un petit peuple silencieux qui vous faisait des signes. Des mains qu'on avait envie bientôt de serrer.

– Tous les clients finissaient par le faire, dit Charlotte.

Serrer une main en bois, chacun la sienne.

*

La plongée dans leur jeunesse les avait épuisés. Peu après le début du film ils dormaient, abandonnés aux têtières des fauteuils. Depuis la cuisine entrouverte venaient les dernières odeurs de gratin, et la lueur de la télé mettait des reflets bleutés sur les deux vieux visages.

Lukas se leva sans bruit, alla ouvrir la boîte à couture de Charlotte. Il revint avec le mètre de couturière qu'il déroula lentement, s'accroupit d'abord devant Charlotte, puis devant Léonce, et prit les mesures.

Lukas n'avait eu besoin d'acheter qu'un tournevis électrique. Tout le reste était déjà sur place. Il s'était installé dans le garage.

– C'est quoi cette odeur ? avait demandé Charlotte le premier matin.

– Paradichlorobenzène.

Elle servait le café. La vapeur fumait dans les bols.

– Pour ?

Lukas y fut obligé :

– C'est l'ingrédient primordial, Charlotte.

Il avait étrenné le lit. Avec Sonia et le grand duc sur la commode. Il constata avec stupeur que ce regard le motivait. Il s'en déchira le frein du prépuce. Il avait pénétré Sonia si violemment que la membrane avait cédé. Il ne s'arrêta pas, continua de pistonner. Il tournait la tête vers la commode, convoquant le regard du grand duc sur sa virilité décousue.

Autrefois Lukas s'était déchiré de la même façon le frein de la langue sur Clarisse. Il n'avait rien senti dans sa gourmandise de chien fou. La bouche entre ses cuisses, il avait continué de lécher. Ce n'est qu'en soulevant les paupières qu'il avait eu peur. C'est une zone très irriguée, la langue humaine.

Depuis, il gardait une petite cicatrice. Un minuscule nœud de chair qui lâchait s'il tirait trop fort la langue.

*

— Je te dis qu'il la reçoit ici !
— Et alors ?
— Léonce, tu vas demander à cette fille de partir !
— Pourquoi ?

– Pour moi.

Charlotte se sentait des droits. Elle avait lavé le drap.

– Il faut que tu lui parles. Que ça cesse.

– Il est jeune.

– Et nous, dans cette histoire?

C'était d'autre chose qu'elle était jalouse. Quelque chose de plus vaste qui la dépassait.

– Tu vas la chasser. Promets-moi.

– Elle, aujourd'hui. Ou une autre, demain.

– Je ne veux pas qu'il se détourne de nous. Je ne veux pas qu'il nous délaisse.

Léonce regardait Charlotte et c'était la première fois comme ça.

– Charlotte, ça te fait si mal? Tu manques tellement de?

– Ça n'a rien à voir avec toi. C'est quelque chose de général. Un besoin global. Tu comprends? Quelque chose de générique.

Un besoin d'amour « générique ». Il pensait qu'il fallait beaucoup de désespoir pour ça.

– Ou beaucoup d'espoir, dit-elle. Et ça augmente en vieillissant. Tu ne le ressens pas? Tu en as ton compte, toi?

Avait-il le sentiment qu'il n'y avait plus de place, que c'était complet? Même au bout de cinquante-cinq ans? Ça lui avait suffi? Alors quoi? Ils pouvaient arrêter, ne plus rien faire entrer, ne plus rien prendre? Il n'y a pas que les petits soldats de plomb dans la vie. Charlotte en voulait, oui, encore.

– Et lui, c'est une aubaine! Peut-être la dernière. Léonce! Tu comprends? Alors encore un petit peu. Pour nous, en égoïstes. Seulement nous.

– Mais si on l'empêche, il nous lâchera. Pour de bon cette fois.

– Il nous abandonnerait? Pour un coup de...

– Un coup de quoi?

– De tête.

– Appelle ça comme ça.

– Ce serait tellement bête.

– Qu'est-ce que tu t'imagines, Charlotte? Tu crois qu'on fait le poids?

Elle resta longtemps immobile.

– C'est injuste.

Elle avait raison. C'était injuste. Plus injuste qu'un destin de furet ou de petits soldats. Leur vieillesse était injuste.

– Je lui parlerai, dit Léonce.

– Non, tu as raison. Ce serait tout gâcher. Tu ne lui diras rien, aucun reproche. Gardons-le. Surtout ne pas le braquer.

– C'est mon avis.

– On pourrait aussi...

– Quoi?

– Quitter la maison de temps en temps. Un petit moment dans la journée.

– De cinq à sept?

– Ils seraient plus à l'aise. Ça ne doit pas être facile avec nous au-dessus. Et certaines nuits, même...

Charlotte était décidée à pousser jusque-là.

– Aller dormir à l'hôtel.

*

Le médecin que consulta Lukas préconisa la circoncision.

Ils mangeaient des polonaises et donnaient du pain aux mouettes. Ils laissaient Lukas pendant des nuits entières à la maison, avec Sonia et le grand duc, dans son nouveau lit, avec sa nouvelle queue.

Toujours le même objectif : le garder.

Ils prenaient une petite valise et appelaient un taxi quand Lukas ne pouvait pas les emmener. Ils avaient choisi l'hôtel aux volets mauves. Dans la chambre, ils restaient devant la fenêtre à regarder la Seine. Ils préféraient le fleuve à la télé avant de se coucher. Un rituel intime et secret. Ils n'étaient pas tristes. Ils savaient que quand ils rentreraient, le lendemain matin, Lukas les attendrait. Il leur aurait préparé le petit déjeuner.

Si elle ne comprenait pas pourquoi ces deux vieux revenaient régulièrement, quatre ou cinq nuits par mois, la maman de Coline leur gardait la même chambre. Ils prenaient leurs habitudes, suspendaient leurs affaires aux cintres en fil de fer et s'endormaient dans le même lit. Après des années de sommeil séparé.

Et c'était comme de nouvelles lunes de miel minuscules. Des petites lunes de miel pour des nuits de vieillards qui s'effacent. Car c'était ça. Doucement, sans faire de vague, Charlotte et Léonce *s'effaçaient*.

– Les étudiants révisent dessus, avait dit Lukas. Ce ne sont que des occasions.

Le terme n'avait heurté personne.

– On voit bien quand même.

– C'est flagrant.

Ils avaient cherché où les installer. Les deux potences qu'on avait fini par rouler au salon. Le squelette et l'écorché suspendus. De chaque côté du buffet ? Entre les fauteuils ? Lukas, finalement, les plaça derrière la télé.

– Évidemment, ce qui peut choquer c'est la couleur.

Léonce prenait la main de Charlotte.

– Tu es glacée. Tu ne te sens pas bien ?

Lukas poursuivant : le côté froid du plastique, cet aspect cru de l'os à nu, mais une fois « habillé »... Ils ne l'écoutaient pas. Léonce emmenait Charlotte jusqu'à sa chambre. D'où il redescendait.

– Lukas, j'ai un peu peur tout de même.

– Ce n'est qu'un peu de fatigue. Ou un gros rhume qui couve. Pas de quoi s'affoler. Je vais aller lui chercher quelque chose.

– Je parlais d'eux. Ça lui a foutu un choc.

– Elle s'habituera, pronostiqua Lukas. Somme toute, c'est comme vos mains en bois autrefois.

*

Leur projet ne débouchait pas toujours sur des situations farfelues de carabins, mais parfois sur de véritables moments d'émotion.

– Puisque nous évoquons ce chapitre, dit Lukas, je dois vous prévenir que je vide.

Parce que ce jour-là Charlotte avait innocemment lâché : Vous l'avez compris, Lukas, c'est une affaire de cœur.

– L'intérieur. Entièrement récuré. Je bourrerai d'étoupe et de chanvre. Alors le cœur...

– Nous y tenons.

C'était compréhensible.

– Je vous propose donc un bocal. À part. De formol. Quelque chose d'élégant. Style amphore romaine, par exemple, vase égyptien, étrusque ou dynastie Ming.

Ou même, pensait-il, dans une châsse en plomb sertie de vermeil façon Bourbon.

– Non ?

Charlotte et Léonce balançaient.

– Qu'est-ce que tu en penses ?

– C'est un peu brutal. J'imaginais que...

– Qu'il resterait dans la poitrine ? fit Lukas. Désolé. Même s'il est toujours possible d'y enfouir le bocal. Mais là je ne vois pas l'intérêt.

– Il a raison.

Léonce était quelqu'un de pragmatique. L'expérience des ponts sans doute.

– Ce n'est pas plus mal, Charlotte. Il sera visible.

– Justement. Visible. J'ai du mal à...
– Prenez votre temps, dit Lukas.
Il patientait. Le café était chaud.
– Alors ?
C'était quand même un choc.
– L'aspect exposition.
– C'est ce que nous voulons, Charlotte.
Elle essayait de visualiser. Puis soudain elle redressa la tête.
– Sur la cheminée ?
Le visage de Lukas pivota.
– Très bonne idée.
Mais il n'avait pas tout à fait compris.
– Qu'il ait chaud, dit-il.
Et Charlotte :
– Près du cartel. Qu'il batte encore un peu. Tic-tac tic-tac. Même en play-back.

– Il s'ennuie, Léonce.

– Je sais.

– Tu l'as remarqué toi aussi?

Lukas semblait avoir perdu cette molle insouciance qui les avait tant séduits. Le sexe de Sonia ne lui suffisait plus, même avec le regard du grand duc. La discrétion de Charlotte et Léonce, leurs petites attentions, toutes leurs préventions et leurs éclipses à l'hôtel de Honfleur n'empêchaient pas l'inactivité de lui peser.

– Je crois qu'il a rompu, dit-elle un jour.

Elle fut surprise de ne pas s'en réjouir. Le malaise de Lukas rejaillissait sur eux. Et la conclusion de leur angoisse était simple.

– Il attend.

*

Est-ce à partir de cette époque-là que les choses commencèrent à basculer? L'un des deux avait dit ça : « Il attend. » Charlotte et Léonce pensaient ensemble la même chose. Et ils subissaient eux aussi cette attente.

– Si j'essayais les figurines ?

Le carton de la retraite de Russie fut refermé aussi sec.

– Évidemment, la retraite de Russie ! Tu aurais pu choisir plus gai.

L'arrivée de l'automne, avec l'ouverture de la chasse, allait leur ouvrir de nouveaux horizons.

– Allô ?

Lukas avait décroché, comme à son habitude.

– Vous êtes ?

Le président d'une société de chasse. Lukas regardait ses vieux, répétait le nom de l'homme.

– Quand vous voulez, monsieur. C'est ça, très bien.

Une commande. Pour un anniversaire.

– *Les Tireurs d'Auge*, dit Lukas en raccrochant.

Léonce avait été chasseur, il connaissait le président de la société. Il s'en souvenait, il l'avait rencontré quelques jours plus tôt à Honfleur.

Lukas aurait désormais une occupation.

– Une bécasse.

★

Il était venu le lendemain. Lukas avait rangé les mannequins.

– J'y avais pas pensé, fit Charlotte.

On avait failli les oublier. Ils étaient habillés désormais : le squelette dans une robe du soir en alaskine de soie, l'écorché dans un costume de Léonce. On avait enfilé aux pieds de celui-ci des chaussettes en fil d'Écosse et une paire de chaussures à boucle Weston. Tout ça était planqué dans le placard à côté de l'aspirateur quand le président des chasseurs vint sonner à la porte en évitant le macramé. Il tenait sa bécasse enroulée dans du papier d'aluminium.

Lukas l'emmena dans le garage. Il lui montra la qualité de son installation, les deux établis, la lampe d'architecte, les outils, les échantillons de bêtes empaillées sur les étagères et les fioles de produits alignées.

– On a commandé deux congélateurs de cinq cents litres.

Il avait perdu son sens commercial qui peu à peu lui revenait. Il faisait l'article au type et ça lui plaisait.

– Ils devraient nous être livrés la semaine prochaine.

Ça tombait bien.

– Parce que, disait le président, il y aurait aussi, en plus de la bécasse...

Un repas organisé à Beuvron pour le cinquantenaire de la société, des discours et des remerciements, des toasts et quelques bons souvenirs de forêts, anecdotes de cartouches et autres exploits de divers calibres.

– Vous savez ce que c'est.

Lukas pensait « non », tout comme Charlotte. Tandis que Léonce branlait du chef en pensant « oui ».

– Au dessert seront décernés des trophées.

Et des cadeaux. Plus précisément *un* cadeau.

– Offert avec les bénéfices de notre dernière tombola dansante.

Ils revenaient dans le salon où la bécasse reposait sur son lit d'alu. Charlotte et Léonce encourageaient le président-chasseur.

– Quelque chose de marquant, dit-il. J'avais pensé...

Du classique. Lukas s'en doutait.

– Un sanglier.

Le premier de la saison.

– On organise une battue dans trois semaines. Ce sera l'occasion.

Dans leurs fauteuils, Charlotte et Léonce approuvaient. Le chasseur parlait poids, espérait du kilo, rêvait de solitaire.

– Ce serait l'idéal, fit Lukas.

– De loin la plus belle pièce, acquiesçait Léonce avant d'aller chercher le guignolet en bas du buffet.

– Notre doyen, expliquait le président.

Cinquante ans qu'il avait sa carte.

– Exactement le même âge que la société dont il a été le fondateur. Un exemple pour nos jeunes.

Tout le monde était d'accord. Le solitaire serait pour lui.

– Pas l'empaillé, précisait le président.

Le sanglier empaillé resterait dans le bureau de la société de chasse, en vitrine avec les autres trophées.

– Je veux parler du sanglier sur pied. C'est notre doyen qui le tirera. On a tout prévu. Les autres sont dans la confidence. Le jour de la battue on lui laissera la bête. Beau cadeau, non ?

Il fallut peu de temps pour se mettre d'accord sur les derniers détails : présentation artistique, tarifs et délai.

Les choses eurent tendance à reprendre leur rythme normal. Léonce ressortit un carton du garage. Il avait demandé à Lukas de l'emmener à Honfleur pour acheter de nouvelles couleurs.

L'idée : rafraîchir le Napoléon d'Eylau. Le cartel, immuable, continuait de dérouler un temps qui semblait curieusement plus paisible. Charlotte aspirait, Léonce peignait, Lukas empaillait.

Il avait préparé la bécasse en position d'envol. Il avait consulté des ouvrages pour comprendre la façon dont l'oiseau déploie ses ailes à ce moment précis, sa foulée, son allongement de cou. Tous les volatiles tendent le cou en prenant leur envol. Chaque espèce le fait d'une façon propre.

Ses yeux sont disposés de façon latérale. Ce qui lui permet une vision à trois cent soixante degrés. Lukas l'avait appris dans les livres. Faut bien connaître le vivant des sujets pour les naturaliser avec réalisme. Transformer leur mort en sincérité.

Lukas n'avait pas perdu la main.

Son dernier travail remontait au furet, au tout début du printemps, et la structure d'une paire d'ailes était autrement plus complexe. Le nombre de cartilages et d'os qu'il y a là-dedans !

Les plumes firent l'objet d'une précision de texture et de couleur des plus pointues.

*

Le doyen non plus n'avait pas perdu la main. Le premier vieux solitaire de la région en fit les frais : il succomba sur le coup. Un seul. De calibre 30-30 Winchester.

L'animal finit sa course dans le garage de Charlotte et Léonce, les pattes en l'air et la langue dehors.

Lukas le vida. Boyaux, tripes, intestins. Encore tièdes et fumant. Léonce se bouchait le nez, Charlotte refusait de quitter la cuisine où elle faisait brûler des bâtons d'encens. Une atmosphère d'église pour la cérémonie funéraire du vieux sanglier.

Lukas avait choisi une attitude solitaire et traqueuse. Non pas le trac d'être exposé en vitrine comme une star, mais la traque d'une hypothétique odeur de maïs.

Plus curieux que des pies, les deux petits vieux poussaient la porte de communication du garage et venaient assister aux travaux. Toujours silencieux. Comme assistant, dans l'ombre, aux ultimes répétitions.

*

Quand après six semaines le président était revenu, il avait trouvé un sanglier au poil luisant, le groin au sol et l'oreille en alerte. On s'attendait à le voir remuer la queue. Une réussite.

Lukas détournait les yeux. Le président remplissait le chèque.

– Un bel hommage à la nature. Et à notre doyen.

Lukas détournait les yeux pour ne pas apercevoir non plus, par l'entrebâillement de la porte, Léonce compter les billets au salon.

– Je l'emporte tout de suite, pas besoin de me l'empaqueter. Bonne idée, la planchette en bois avec des feuilles de chêne.

Lukas avait compris. C'étaient ses deux vieux qui offraient le cadeau.

*

Il en aurait confirmation au début du mois suivant en pointant le relevé bancaire de leur compte. Ils étaient allés à Honfleur retirer la somme exacte en liquide.

Lequel des deux avait imaginé ça?

Tous les deux ensemble, sans doute. Le vieux sanglier ne saurait jamais qu'il pesait si lourd. Il représentait beaucoup plus qu'un simple trophée en vitrine. Il avait été le dernier recours de deux petits vieux solitaires. L'ultime dérivatif à une attente : celle qui leur était destinée.

Le répit serait de courte durée. L'empaillage du sanglier n'avait été qu'un médiocre remède à l'ennui. Pire, il fut le révélateur de cet état de vacance. Il accentuait, en la soulignant, l'attente. Le cours du temps retrouvait un rythme alangui. Charlotte relisait d'anciens petits polars, Léonce refaisait d'anciennes petites batailles et Lukas patientait. Les promenades en forêt n'apportaient rien. Lukas ramassait des champignons qu'il ne mangeait pas. Il les découpait en rondelles qu'il enfilait sur un fil tendu dans le garage. Certaines espèces fragiles, comme les girolles et les mousserons, étaient cuisinées avant d'être congelées. Lukas blanchissait les cèpes à l'eau salée pour les placer dans des sachets hermétiques.

Au marché de Honfleur Charlotte avait déniché deux Caroff introuvables et de vieux Flocon, les numéros 8, 17 et 23 de la série. Léonce avait récupéré le carton d'Eylau auquel il s'appliquait à redonner un peu de vie. Il demandait conseil à Lukas, se heurtant à un problème épineux.

– Dans le tableau de Gros, au Louvre, le manteau de Napoléon est blanc.

Or les créateurs de la figurine, Carrano et Tiepolo,

130

le donnaient bleu. Le vieil homme se demandait ce qu'il devait faire. Lukas haussait les épaules.

★

Curieusement, en reprenant leur cours normal les choses reprenaient leur dimension sournoise, que ni Charlotte ni Léonce n'avaient suspectée dans un premier temps. Lukas s'ennuyait. Lukas attendait. Lukas les surveillait. Il n'avait plus de bécasse ou de sanglier à se mettre sous la dent. Il se retrouvait seul avec eux. Même le grand duc séché sur la commode de la chambre n'était plus le complice de ses ébats amoureux puisque Sonia avait disparu de son paysage sexuel.

Et pour la première fois Léonce avait peur.

– Il s'occupe de nous, disait Charlotte.

– De notre corps.

– Ce n'est pas désagréable.

– Mais tu ne comprends pas ?

– On l'a tant désiré, Léonce. Et on a tant attendu. Qui d'autre, à part lui, s'est jamais occupé de nous comme ça ?

– Les gommages, Charlotte ! Les massages et les soins du visage. Tu ne réalises pas ?

– On l'a voulu.

– Il s'occupe de notre peau. En professionnel.

– Léonce !

Elle refusait ce terme que pourtant elle avait revendiqué.

– Charlotte. Charlotte. C'est *notre peau* qu'il veut.

On avait fini par oublier les mannequins dans leur placard. C'est Charlotte qui les en ressortit pour les placer entre les fauteuils. Chacun le sien. Lukas les découvrit un matin, immobiles, goguenards et suspendus.

– Ils me manquaient, dit-elle simplement.

Lukas remarqua-t-il la poitrine plus développée sous le châle? Eut-il le réflexe d'écarter le mohair pour constater que le décolleté de la robe s'était développé? Charlotte avait rajouté une épaisseur. Il le découvrirait un peu plus tard, un coussin manquait sur le canapé. Et il se remémorerait un dialogue en secret de Léonce.

– Comment me trouvez-vous? Franchement.

– Je comprends pas, Charlotte. Vous voulez dire : physiquement?

– Évidemment.

– Très bien.

– Mais encore?

– Qu'est-ce que vous cherchez? Des compliments?

– Pour la taille, une femme de mon âge ne peut espérer.

– Elle est très bien, votre taille.

– Les jambes, je ne les ai jamais eues trop grosses.
– Elles seraient même plutôt...
– Plutôt quoi ?
– Frêles.
– Vous trouvez que j'ai les jambes frêles ?
– Du point de vue orthopédique.
– Ah bon, si c'est orthopédique.
Elle avait conservé, jugeait-elle, une silhouette qui.
Elle n'avait pas de ventre. Et ses fesses n'étaient pas
exagérément.
– Pas exagérément, reconnaissait Lukas.
Elle n'avait pas à se plaindre. Léonce non plus.
– Je les ai toujours bien portées, mes fesses. Mais
les seins ?
Elle voulait le prévenir avant que Léonce revienne.
– J'aimerais que vous leur donniez un petit coup de
fouet.
Ce n'était pas de la coquetterie mal placée, Lukas
ne devait pas croire ça. Non. Non. C'était pour lui :
Léonce. Juste pour lui.
– À peine une taille. Vous pensez si je m'en fous,
moi !
Mais lui. Lui.
– Il a toujours regretté le « C ».
Lukas essayait d'imaginer. Il n'avait pas l'habitude.
Tant d'amour. C'était vertigineux.
– Pas pu aller au-delà, avouait Charlotte.
Question chiffres, pareil. Un petit 85. Quand elle
était sûre que Léonce aurait aimé du 90.
– Il ne le dira pas, mais je le sens.
Et elle le sentait depuis cinquante-cinq ans. Cin-
quante-cinq ans avec du « C » dans la tête et un petit
« B » sous la main.

– Je ne vous choque pas Lukas ?

Elle baissait les yeux dans cette attitude que désormais Lukas connaissait bien.

Puis résolvait, primesautière :

– Notre projet va nous permettre de réparer ça. Quand il s'agit du bonheur, on peut bien tricher un peu. Il n'en est pas à une lettre près. Le bonheur, je veux dire. Et je pense au sien.

★

Puis ce fut une autre sensation. En traversant le salon ce matin-là, Lukas retrouvait les deux mannequins et cette image le frappait. Pour la première fois. Cette présence incongrue, soudain, près de leurs fauteuils. Ils semblaient le narguer.

Ils avaient pris leur place avec autorité, dans une tranquille assurance de maîtres des lieux. Et ils s'imposaient. C'est du moins ce que ressentit Lukas. Leur présence maintenant l'inquiétait. Les deux personnages occupaient la pièce face au canapé où il avait, lui, sa place habituelle. Deux fausses présences qui semblaient malaxer des pensées lointaines derrière leurs crânes tragiques.

Le malaise venait de là. De cette place. De ce mot. « Face ». Les mannequins étaient face au canapé. Et c'était plus qu'un *face-à-face* pour Lukas. Ces deux-là investissaient le salon. Peut-être lui volaient-ils quelque chose. Un territoire. Un pouvoir.

Ils ne faisaient pas face à Lukas : ils lui *faisaient front*.

– Cinq cent cinquante grammes depuis hier.

Lukas s'adressait à Charlotte en robe de chambre qui faisait chauffer le café. Chaque jour sans exception depuis qu'il avait acheté cette balance, ses deux vieux se pesaient.

– J'y tiens, avait-il dit en l'installant au pied de la baignoire.

Il avait suivi le mode d'emploi pendant une demi-heure avant de parvenir à l'étalonner. Elle était sensible. Charlotte et Léonce y passaient chaque matin. Ils descendaient ensuite prendre leur petit déjeuner à la cuisine où ils encaissaient le commentaire de Lukas. Un commentaire souvent sévère qu'ils tentaient de détourner avec une mauvaise foi dérisoire, des petites rébellions inutiles et toujours des interrogations chuchotées.

– Comment il peut le savoir ?

– C'est pas possible, Charlotte. Tu as bien fermé la porte à clé ?

Il avait fallu retrouver le mode d'emploi pour comprendre.

– Elle a une mémoire.

Électronique. De dix pesées. Lukas n'avait qu'à

monter dans la salle de bains pour afficher le poids sur l'écran de la balance. En rouge. Cinq chiffres pour Charlotte, cinq pour Léonce.

– On n'est plus libres de rien.

– Ça devient étouffant.

★

– Je me pose des questions.

– Léonce.

– On a tellement pris cette idée à cœur. Et lui aussi.

– Tu regrettes ?

– C'est un drôle de projet. Tu l'as dit toi-même, Charlotte, tout ça est étouffant.

– C'était le risque.

– Mais ça devient *invivable*.

– Pas jusque-là.

– Ça le deviendra. Pour de bon. Regarde-nous, regarde-le. Hier il n'a pas décollé du garage.

C'était cette histoire de congélateurs.

– Ça le travaille, dit-elle. Et puis il veut raccourcir ta potence. Il a raison, d'ailleurs, tu as les pieds qui ne touchent pas le sol. C'est moche.

Sous les rondelles de trompettes-de-la-mort, Lukas avait passé sa matinée à scier et à trier ses flacons.

– Tous les nouveaux flacons qu'il a reçus. Tu as vu ? Sans oublier la baignoire.

– Tais-toi.

– Tu l'as entendu, à la récurer à fond !

La vieille baignoire au fond du pré, que Lukas était allé exhumer.

– Dans quel but, Charlotte, à ton avis ?

Trois jours consécutifs de récurage dans le fumet

136

âcre des champignons qui séchaient. Mousserons, morilles, trompettes-de-la-mort ramassés pendant l'automne. Personne n'avait frémi, à l'époque, quand Lukas en avait rapporté de pleins paniers.

Il y avait aussi, au fond d'un des grands congélateurs, dans leurs sachets hermétiques, les girolles et les cèpes.

– Je sais, il est un peu fébrile et envahissant.

– Il le sera de plus en plus, Charlotte.

– C'est de la maladresse, souvent. Tu sais comme il est. Il s'enflamme. Il veut bien faire.

– Bien faire? Ça oui : il veut « bien faire ».

La baignoire utilisée jusqu'alors à faire boire les vaches du paysan d'à côté avait servi au trempage de la peau du solitaire. Bain d'eau froide, puis d'eau chaude, avant celui d'alun. Charlotte et Léonce ne passaient jamais devant sans un pincement au cœur.

– Tu veux dire que tu te méfies?

– Oui.

– De lui?

Il y avait aussi les nouveaux produits. Des bidons que Lukas s'était fait livrer et qu'il avait alignés sur les étagères.

– De lui, de nous. On a fini par se laisser aller, Charlotte.

– Ce n'était pas désagréable.

– Justement, on y a pris goût. J'ai peur qu'on se soit emballés.

– Oh non Léonce, ne me dis pas que.

Lukas avait vidé la bouteille de guignolet dans l'évier. Et il gardait le whisky dans sa chambre, au fond du premier tiroir de la commode fermé à clé.

– Il a tellement d'emprise sur nous. Il organise, il dirige, il décide. Charlotte : il en fait trop.

Léonce ne parlait pas que de la balance. Mais chaque jour, leur emploi du temps, les balades, les loisirs, le cinéma.

– Tout ce qu'on voit, tout ce qu'on vit, tout ce qu'on aime.

Et tout ce qu'ils n'aimaient pas.

– On n'a même plus notre mot à dire.

Le coiffeur, la manucure, la pédicure, les programmes télé.

– Les radios.

– Non, ça encore, on est assez libres.

– Je parle de nos côtes, Charlotte, pas de la FM.

Cette idée de leur faire passer des radios. Lukas y avait tenu.

*

Il y eut des tensions, des mots échappés, des regards appuyés. Et toujours les messes basses de Charlotte et Léonce en l'absence de Lukas, pendant qu'il était au garage à bricoler « on ne sait trop quoi ».

– Jusqu'au petit verre de grenache.

– Je l'aimais aussi.

– Sans oublier mon whisky.

– Je ne te l'ai jamais interdit, moi.

– Jamais.

– En cinquante-cinq ans. Même pas caché. Peut-être un peu humecté, quelquefois.

– Humecté ?

– Une goutte d'eau rajoutée. Pas plus. Ça ne t'a pas privé.

D'un pas décidé Léonce se dirigeait vers la chambre de Lukas, cherchait, pas longtemps, trouvait la clé dans la gueule du tamanoir et ouvrait le tiroir à serrure de la commode.

Il rapportait la bouteille de pur malt.

— On ne va plus se priver!

— À cette heure-là? demanda Charlotte.

— Qui va nous empêcher?

— D'accord!

Ce fut par bravade, plus que par plaisir, que chacun leva son verre.

— Je ne parle pas de la voiture.

— Ça, on l'a décidé ensemble.

Ils buvaient, s'appliquaient à ne pas grimacer devant l'autre. Les yeux dans les yeux, sans ciller. C'était leur petit défi.

— Même plus de roue à changer de temps en temps, plus de capot à soulever. Oui d'accord, mais ne serait-ce que par curiosité. Il nous prive aussi de ça : la curiosité.

Ils ne l'avaient jamais accepté. De personne. Jamais.

— En cinquante-cinq ans.

Ils avaient toujours été libres. Et aujourd'hui, avec cette idée, de quoi ils héritaient? D'une vieillesse à l'abri.

— Charlotte! D'une vieillesse couvée!

Ils n'avaient pas voulu ça. Ils étaient devenus complètement...

— Impotents.

Léonce vidait son verre d'un trait, désignait les deux mannequins entre les fauteuils.

— On leur ressemble, c'est gagné.

Eux seuls, le squelette et l'écorché, restaient impassibles. Raides au milieu de salon, comme étrangers à tout ça.

Charlotte et Léonce décidèrent de les monter.

– Au grenier?

– Avec les souvenirs.

Et les gants d'autrefois au rayon du passé. Lukas y vit-il un signe?

– Je vais vous aider.

– Laissez. On va le faire nous-mêmes.

Ils les portaient jusqu'à l'escalier, empêtrés dans les roulettes, avec des bras qui battaient l'air et une tête qui pivotait.

– Depuis le temps que.

Léonce attaquait la première marche. Charlotte suivait avec son double.

– Désormais, on va recommencer « à faire » nous-mêmes.

Et c'était un nouveau ballet pitoyable. Instinctivement, ils avaient saisi chacun *le sien*.

Le premier acte d'indépendance eut pour objet la bataille d'Eylau. Léonce avait décidé de ressortir le carton et la planche de contreplaqué. Charlotte l'y avait engagé. Elle se tenait près de lui dans l'insurrection, devant un des deux établis.

– Février 1807. Au sud de Königsberg. Il fait –16 degrés dans des champs couverts de neige. Tu me sortiras le sucre en poudre, j'en remettrai une couche.

Sur l'autre établi, Lukas retouchait les mannequins. Il était monté au grenier les récupérer. Il utilisait les pots de couleurs de Léonce.

– Je vais lui refaire ses dents.

Chacun les siens. Leurs jouets d'hommes entre les mains.

★

N'est-ce pas Charlotte, la première, qui suspecta cela ? L'haleine de Lukas. Car s'il avait entièrement vidé le bas du buffet de ses bouteilles, il avait récupéré celle de whisky et en inscrivait régulièrement de nouvelles sur la liste des commissions. Pour sa consommation personnelle.

– J'ai envie de me lancer dans celle d'Arcole.

C'était la seule réplique de Léonce. Leur seule parade.

– Tu as raison, l'encourageait Charlotte.

Cette fois il s'installerait au salon, un torchon étalé sur la table basse et sa grande loupe sur pied.

Il reprenait des forces, parlait de s'acheter un nouvel aérographe Aztek, évoquait de prochains flocages. Il avait déjà choisi, pour le champ de bataille, un plateau d'aggloméré de cent cinquante sur deux cents.

– Je l'exposerai dans la chambre du bas. Comme avant.

La « chambre de Lukas ». Où les soldats allaient regagner du terrain.

– Et qu'il ne s'avise pas de me l'enlever!

Il se mit au travail dès le lendemain.

Osant même lancer à Lukas :

– Il faudra pousser un peu le lit contre le mur et déplacer votre grainetier.

Lukas n'allait plus à Honfleur. Il restait chez ses vieux.

Il ne retourna jamais à l'hôtel aux volets mauves pousser la porte vitrée pour renifler les fumets de cuisine et regarder les jambes de la mère de Coline.

Il restait à la maison. Avec eux : les mannequins.

Il ne les avait pas remontés au grenier. Il les gardait près de lui dans le garage où il se repliait de plus en plus souvent. Des heures entières. Puis des après-midi. Puis des journées. On ne savait pas exactement ce qu'il faisait. On l'entendait marcher, frotter, gratter, parfois chuchoter. Tout seul. Éclater de rire ou ricaner.

— Avec eux, disait Charlotte.

C'en devenait grotesque. Lukas leur préférait la compagnie des deux personnages en plastique.

— Ce n'est plus supportable.

Lukas se détournait d'eux pour leurs doubles. Et ils étaient impuissants.

— Tu devrais lui interdire.

Ils l'avaient surpris en train de fouiller dans leurs penderies.

— Empêche-le, Léonce.

Lukas prenait d'autres de leurs habits pour les mannequins.

– Il devient fou.

Tout avait commencé un jour de pluie. Il avait sorti des imperméables et des chapeaux des penderies du haut.

*

Une nuit où elle ne trouvait pas le sommeil, Charlotte était descendue à la cuisine. Un verre de lait à la main, elle s'apprêtait à remonter quand elle avait entendu des chuchotements. Ils venaient du garage. Elle avait entrouvert la porte de communication. Lukas était assis devant les deux mannequins, dans l'obscurité, et il leur parlait.

Lukas emmena Charlotte à Honfleur. Léonce peignait quelques peupliers d'Italie. C'était une des rares occasions où le vieil homme était seul à la maison et il faillit aller jeter un œil dans la chambre de Lukas. Dans le garage aussi, où ni Charlotte ni lui ne mettaient plus les pieds. Le cartel du salon s'était arrêté.

Est-ce à partir de ce jour-là que les choses basculèrent de façon irréversible? À cause de quoi? de quel détail précis?

À cause du froid de cet hiver-là, de la solitude de Léonce et du malaise grandissant qui lui faisait perdre la foi en leur projet?

À cause des deux mannequins dans le garage auxquels Lukas avait mis les habits de ses vieux, leurs chaussures et leurs yeux, et auxquels il s'adressait dans leur dos?

Ou tout simplement à cause des restes du lapin à la moutarde qu'il leur avait cuisiné et qu'ils finirent ce jour-là au déjeuner?

– Tu as senti?

– Quoi?

– Mais sens, dit Léonce. Sens-le.

– Un peu fort, peut-être.

145

– « Un peu » fort ?

– C'était gentil de sa part, dit Charlotte.

Lukas n'y avait pas touché. Il s'était levé de table pour aller chercher le pain.

– C'est pour vous que je l'avais préparé.

– Nous apprécions l'intention, Lukas.

– Une bouchée pour me faire plaisir. Pour reprendre des forces. Charlotte. Vous étiez fatiguée ce matin à Honfleur.

Est-ce que Lukas avait soudain le geste de saisir la fourchette, de la piquer dans la viande et de la tendre à Charlotte ?

– Pour me faire plaisir... répétait-il.

Est-ce que Léonce voyait *réellement* cette scène ou se contentait-il de l'imaginer ?

– Pour me faire plaisir... insistait Lukas.

Et que faisait Charlotte ? Ouvrait-elle la bouche ? Léonce la voyait-il refermer ses dents sur le morceau de lapin ? Dans ce cas, que faisait-il pour l'en empêcher ?

– Charlotte !

Il lançait son prénom. Il se le rappelait. Il l'entendait résonner dans le salon. Rien de plus ? Lui attrapait-il le poignet ? Il avait peur, c'était une certitude. Mais comment réagissait-il face à cette peur ? Est-ce qu'il l'affrontait ? La laissait-il au contraire l'envahir ? Sans rien faire pour l'entraver ?

– Qu'est-ce que tu as Léonce ?

C'était déjà terminé. Lukas débarrassait. Léonce observait Charlotte qui se passait la main sur le front. Il n'avait pas esquissé le moindre geste, acceptant tout de Lukas dont il voyait la silhouette disparaître dans la cuisine où il allait jeter les restes.

146

Charlotte se sentit mal tout de suite après le repas.

*

Ils l'aidèrent à monter. Lukas resta un instant près du lit.

— Vous nous préparez un bon rhume.

Léonce tirait les volets, revenait la déchausser.

— Tu as les pieds glacés. Tu avais besoin, aussi, de sortir ce matin, par ce froid.

Lukas passait à la salle de bains, cherchait dans le placard. Il revenait avec un cachet et un verre d'eau.

— Prenez déjà ça. Je vais aller à la pharmacie.

Léonce ouvrait la penderie, attrapait une couverture supplémentaire qu'il étalait sur Charlotte.

— Tu claques des dents.

Si elle n'avait pas pris de lapin à midi, elle en avait mangé la veille. Et pas Lukas. Léonce s'en souvenait parfaitement. Lukas n'avait pas touché à *son* lapin à la moutarde.

— Lukas?

— Il revient. Détends-toi. Ne parle pas.

Il lui tapotait la main, cherchait dans sa mémoire des numéros de téléphone et une adresse. Lui aussi avait mangé du lapin la veille. Il se toucha le front. N'avait-il pas chaud brusquement? Lukas était parti. Avait-il embarqué la poubelle pour aller la vider dans la déchetterie municipale?

Le plateau d'Arcole gênait les déplacements dans le salon. Léonce l'avait posé sur deux tréteaux. Il s'y accouda pour empaqueter la boîte en plastique et écrire l'adresse au marqueur noir sur le papier d'emballage.

Charlotte s'était endormie. Il était redescendu sur la pointe des pieds. La poubelle de la cuisine n'avait pas bougé. Léonce y avait retrouvé les restes du lapin. Il en avait récupéré un échantillon, avec la sauce, dans la boîte en plastique qui prendrait dès le lendemain la direction du centre antipoison de Seine-Maritime.

Il rebouchait le feutre et allait cacher le paquet dans sa chambre. Il ne ressentait aucune fatigue. Pas de courbature dans les membres ni de lourdeur dans la poitrine. Qu'avait mangé Charlotte qu'il n'avait pas touché, lui?

Il marchait dans le salon autour de la planche en agglo, prenait une pipe, essayait de relancer le cartel qui refusait de repartir. Puis il bourrait sa pipe et l'allumait, comme par défi.

Il alla pousser d'un geste résolu la porte de communication. Les deux pantins étaient là, dans la pénombre. Léonce comprit pourquoi il avait allumé

sa pipe. Il tirait de longues bouffées et la fumée le rassurait. Il osait affronter le regard des mannequins.

★

Pourquoi était-il entré dans le garage? Pour se
prouver quoi? C'était un sentiment confus et il tentait
de faire le tri. Ses yeux s'habituaient à la pénombre,
parcouraient les flacons sur les étagères. La baignoire
était au bout, après les deux congélateurs.

Léonce leva-t-il la tête vers le fil avec sa brochette
de champignons? Il s'était approché des cartons
de soldats. Et il venait de découvrir, derrière le
numéro 9, des petits sachets roses dont il connaissait
l'utilisation.

★

Tout se passa très vite. Léonce était revenu au salon
où il contournait Arcole et prenait le téléphone, au
moment où Lukas apparaissait dans l'entrée, ôtait
son manteau et s'approchait, le sachet du pharmacien
à la main.

— Ce n'est pas la peine, Léonce.

— On ne peut pas la laisser comme ça!

— J'ai trouvé ce qu'il lui faut.

Lukas passait dans la cuisine où il faisait bouillir de
l'eau. Léonce raccrochait, décrochait une nouvelle
fois, recomposait le numéro. Lukas revenait et lui prenait l'appareil.

— J'ai débranché la prise.

— Qu'est-ce que vous avez fait? Lukas! Je n'ai plus
mon portable à cause de vous et je ne peux pas appe-

149

ler le médecin parce que vous avez débranché le télé-
phone pour...
  – Pour éviter que la sonnerie la réveille. Ne soyez
pas idiot, Léonce.
  Léonce cherchait la prise, découvrait les fils
arrachés.
  – Lukas ! Est-ce que vous vous rendez compte !
  – J'ai dû tirer trop fort, dit tranquillement Lukas.

★

  C'était paraît-il une décoction de kombucha. De
Mandchourie, avait dit Lukas. Léonce était resté en
bas pour essayer de remettre les fils en contact. Char-
lotte faisait la grimace en buvant.
  – Médecine taoïste, précisait Lukas.
  – C'est fort.
  – Faut ce qu'il faut.
  – Qu'est-ce que vous mettez dedans, exactement ?
  – Exactement ? Peux pas vous dire. C'est un secret.
Champignon mongol.
  – Mandchou, vous avez dit.
  Il l'aidait à incliner le bol vers sa bouche.
  Culture stricte, conservation et macération proto-
colées. Pas n'importe quoi, le kombucha. Lukas ne
l'avait pas trouvé à la pharmacie. Il le faisait venir de
Californie. Il en gardait toujours quelques sachets au
frais, dans le garage. Sa réserve personnelle. Près du
carton n° 9 ? Avec les petits sachets roses de mort-aux-
rats découverts par Léonce ?

★

150

En bas le vieil homme se battait toujours avec les couleurs. Pas celles des uniformes de la Grande Armée, celles des fils du téléphone.

– Lukas, passez-moi votre portable.

C'est à ce moment-là, face au refus de Lukas, qu'il devait comprendre. Un médecin. Ce que ça signifiait.

– Peut-être l'hôpital, dit Lukas.

Léonce y avait-il songé? Ces endroits-là, on sait quand on y entre, mais la date de sortie? Surtout à leur âge. L'hôpital, c'était la porte ouverte à.

– À quoi, Lukas?

– À d'énormes complications.

– Vous me dites que ce n'est qu'un rhume.

Évidemment. Mais il fallait voir plus loin. On ne sait jamais. Si Charlotte fourrait les pieds là-dedans et que.

– Et que?

– Par malheur.

– Lukas!

Il ne fallait pas écarter l'hypothèse de coïncidences en chaîne.

– Je dois penser à tout, dit Lukas.

Et surtout à la bonne marche de leur projet. Or l'hôpital, c'est une prison. Et en bout de course il y a quoi? La liberté, d'accord. Mais ils parlaient bien de la même.

– Vous voulez dire...

Lukas voulait dire, oui.

– Cette liberté concerne les âmes, Léonce. C'est beau. C'est poétique. Mais les corps? Est-ce que vous comprenez? Léonce! Pour les corps, le centre pénitentiaire s'appelle la morgue et les cellules sont des tiroirs numérotés. Je pense à ceux qui sont dedans, et à ceux qui veulent les en faire sortir.

Ils levèrent ensemble la tête en direction de l'étage où reposait Charlotte.

– Que faire alors? Un détournement? La nuit? Avec complicité des gardiens et pots-de-vin aux infirmières? Vous n'y pensez pas, Léonce.

– Je te dis que j'en suis sûre.
– Tu le soupçonnes ?
– Oui.
– Pour te dire la vérité, moi aussi. Il a changé.
– Tu as remarqué. Le matin, par exemple, il ne nous prépare plus notre petit déjeuner.
– Qu'est-ce que tu racontes ?
– Moi aussi Léonce, j'ai peur. Qu'il nous délaisse. Cette nuit encore. Tu n'as pas entendu ?
– Il était dans le garage. Il travaillait.
– Je suis rassurée.
– Charlotte.
– J'ai cru qu'il en recevait une autre. Il s'occupe toujours de nous, alors ?
– Oh oui il s'occupe de nous.
– J'avais peur que...
– Charlotte, cesse de te boucher les yeux. Il s'ennuie, tu le reconnais toi-même. Il tourne, il rôde, il attend.
– C'est bien normal.
– Et je le sens de plus en plus...
– Tais-toi.

– Charlotte, est-ce qu'on est réellement satisfaits de tout ça ? Est-ce qu'on ne se laisse pas, *tous*, gagner par...

Ils chuchotaient lorsque Lukas frappa, un grand bol entre les mains.

– Tisane mongole?

– Mandchoue, dit-il en la tendant à Charlotte. Vous avez l'air d'aller mieux. Vous avez faim? Vous voulez que je vous prépare quelque chose?

– Je le ferai.

Il montrait la tisane.

– Ce sera une affaire de deux ou trois jours.

Il se dirigeait vers la porte.

– Et je vous interdis de la jeter dans le lavabo comme l'autre. Vous m'entendez, Léonce? Je vous fais confiance. À vous aussi, Charlotte. Vous voulez être sur pied, oui ou non?

Lukas disparaissait. Léonce prenait le bol des mains de Charlotte. « Sur pied ».

Léonce avait d'abord voulu commander un taxi. Charlotte avait passé une bonne nuit. La température baissait. Au petit déjeuner il lui avait fait deux tartines de mûres. Que prenait-elle d'habitude ? Léonce renifla les pots. Il lui avait monté son plateau. Lukas n'était pas réveillé.

– Je vais en ville ce matin. Je pourrai voir le Dr Sifrin.

– Ça va mieux, tu sais.

Il se remémorait les flacons sur les étagères du garage, les liquides jaunâtres et les étiquettes.

– Tu ne boiras pas son truc mongol, dit-il.

– Mandchou.

*

Tant d'interrogations se bousculaient dans l'esprit de Léonce.

La plus capitale, pourtant, ne venait pas encore.

Pourquoi *deux* congélateurs ?

*

Il avait soudain pensé : la laisser seule avec Lukas.

– S'il vous plaît.

Il lui demanda de l'emmener et ils montèrent ensemble dans la voiture.

– Faudra penser aussi à débarrasser le sapin, dit Lukas.

Se *débarrasser aussi* du sapin ?

Léonce devinait désormais chaque intention sous chaque mot. Il perçait les idées les plus secrètes. Il savait analyser une intonation, décortiquer un regard, débusquer un réflexe.

Pendant le trajet, il n'osa pas regarder Lukas qui fumait en conduisant.

– Ce serait quand même plus pratique si je reprenais une voiture.

Et il comprit qu'en l'accompagnant à Honfleur, Lukas pouvait le surveiller. Comment allait-il s'y prendre pour joindre le Dr Sifrin ?

– On en a déjà parlé, Léonce. Je ne crois pas que ce serait très...

Avait-il des comptes à rendre à Lukas ? N'était-il pas capable d'agir de sa propre initiative ? S'il voulait une voiture, il en aurait une. S'il voulait marcher seul dans Honfleur, il marcherait.

– Laissez-moi là.

Il avait jailli du siège à un feu rouge.

*

En pénétrant dans le magasin, une odeur sèche et puissante lui piqua les narines. C'était la droguerie-quincaillerie de Saint-Léonard où ils allaient, Char-

lotte et lui, se fournir en produits de ménage et de jar-
dinage.

Lukas avait trouvé une place au bout de la rue. Il
l'attendait dehors. Léonce avait craint qu'il n'entre
dans la boutique derrière lui.

— Monsieur?

La vendeuse l'interrogeait du regard. C'était une
nouvelle. Pas le vieux droguiste habituel. Léonce ne
la connaissait pas. Il ne savait pas quoi dire. Décrire
Lukas? Le lui montrer à travers la vitrine? Lui
demander s'il était venu? Cet homme, vous voyez, qui
fait les cent pas?

Léonce avait des doutes. Disait-on « quincaillière »?
Elle le dévisageait avec une patience commerciale.

Est-ce que Lukas, là-bas, ne tournait pas le dos
exprès? Est-ce qu'il n'était pas resté sur le trottoir
pour ne pas être vu? Léonce ne savait plus comment
faire. Que demander? Si cet homme-là était venu lui
acheter.

— De la mort-aux-rats, lâcha-t-il.

— Certainement, monsieur.

Elle se retournait vers une rangée de tiroirs métal-
liques. Léonce réfléchissait. Comment amener la
suite? L'appeler pour lui montrer la silhouette de
Lukas? Sortir avec elle? Le rejoindre sur le trottoir?
Elle suspendait son geste, un tiroir ouvert sur des
boîtes de différentes grosseurs.

— Ma femme est venue hier.

Léonce avait dit ça. Sans comprendre pourquoi. Il
venait de laisser tomber ces cinq mots. Il en entendait
quatre en retour :

— Je me rappelle, oui.

Il la regardait sans réagir. Et la quincaillière lui souriait, heureuse de partager ça. C'était donc la sienne ? Elle se rappelait : une petite dame dynamique qui lui avait pris une boîte de douze sachets. Les ventes de mort-aux-rats n'étaient pas si fréquentes. Une petite dame bien sympathique.

— Vous en voulez encore ?

Toujours sans lui laisser le temps de souffler elle puisait une boîte dans le tiroir.

— La même. Douze sachets, je n'ai plus rien en dessous.

Et Léonce, stupide, prenait la boîte, tendait un billet.

Il entreposa la boîte en haut de sa penderie. Puis il la changea de place, craignant que ses pulls attrapent l'odeur. Est-ce qu'en inhalant de la mort-aux-rats on pouvait mourir?

Il n'avait toujours pas reçu le résultat des analyses du lapin mais il avait continué à opérer des prélèvements, dans la cuisine et dans le garage.

Lukas avait proposé un repas « tout champignons ».

– Velouté, fenouil et crème fraîche avec les mousserons, morilles et cèpes séchés, Saint-Jacques en marinière de tricholomes, et pour finir lactaires aux fruits.

Léonce avait pris un exemplaire de chaque espèce dans le congélateur et arraché des rondelles alignées sur le fil.

Le pharmacien de Honfleur saurait lui dire.

Lukas enleva les guirlandes et glissa le sapin dans un sac de Handicap International qui resta une semaine au bord de la route. Combien de sapins de Noël avait-il connus avec Clarisse? Le premier Noël, Lukas s'était levé avant elle et avait découvert le sapin constellé de soutiens-gorge. Il n'y avait pas de culottes, seulement ses soutiens-gorge que Clarisse avait accrochés pendant la nuit. *Tous* ses soutiens-gorge. Sarabande de couleurs, de coton, de soie, de dentelles et de nœuds, de ganses et de broderies. C'était rond, c'était doux, c'était bon. Lukas avait ouvert des yeux d'enfant submergé par des envies d'homme.

Jamais il n'oublierait. L'arbre du désir et de la tentation. L'arbre à seins. Ils avaient fait l'amour aussitôt sous les branches en écrasant la crèche. Ça sentait la bougie, la mandarine et le sexe de Clarisse.

Plusieurs nuits après ce matin-là les soutiens-gorge gardèrent l'odeur. Lukas déshabillait Clarisse en respirant des effluves de sève.

Les Noëls suivants n'avaient jamais eu le même goût.

Le Dr Sifrin était passé. Il avait diagnostiqué une rhinopharyngite.

– Avec une petite baisse de fer, probablement.

Il prescrivit une analyse de sang. Léonce en exigea une pour lui aussi. Le laboratoire du centre antipoison avait pourtant renvoyé des conclusions négatives concernant le lapin. Les champignons, eux, étaient comestibles. Le pharmacien de Honfleur le lui avait confirmé.

Le téléphone était rebranché mais par mesure de sécurité Léonce avait acheté un nouveau portable en cachette de Lukas. Charlotte reprenait « du poil de la bête », selon son expression qui ne faisait frémir personne. Les antibiotiques semblaient plus efficaces que les tisanes mandchoues.

★

Léonce suivit la convalescence de Charlotte en surveillant l'état des petits sachets roses derrière le carton n° 9 dans le garage. Il avait reçu le Bonaparte commandé chez Mithril, les lanciers de la garde et un

162

groupe de chevau-légers. Il poursuivait la mise en place de la bataille au milieu du salon.

C'était un endroit stratégique.

★

Pendant la semaine où le sapin resta au bord de la route, Lukas finit de construire une paillasse dans le garage. Il acheva d'encastrer l'évier et de carreler le plan de travail. Il avait fait venir un plombier pour tirer les canalisations. L'évacuation, à cause de la pente, avait posé des problèmes. Le garage était plus bas que la maison. Il avait fallu se raccorder directement au réseau des eaux usées en creusant une tranchée devant la façade.

Au bout de la semaine, Charlotte allait mieux. Léonce l'observait sans parvenir à savoir. Était-elle aussi naïve ?

– J'avais pensé, lui dit-elle. Ma robe de mariée.

– Quoi, ta robe de mariée ?

– Je l'ai gardée, tu sais. Ça ne te ferait pas plaisir ? Je ne rentre plus dedans, mais avec lui je pourrai.

– Arrête, Charlotte.

– Un peu cérémonial, mais tellement beau.

– Tu lui en as parlé ?

– Pas encore. C'est surtout toi que ça concerne.

– Ne lui dis rien.

– Pas tous les jours.

– Tais-toi.

– Seulement de temps en temps. Une fois par an.

– Arrête, je t'en supplie.

Il retournait régulièrement dans le garage vérifier les sachets. Ils ne bougeaient pas. Et Charlotte se rétablissait.

— Déjà debout? fit Lukas en les trouvant tous les deux dans la cuisine devant le petit déjeuner.

— *Encore* debout, dit Léonce.

★

Les analyses de sang ne révélèrent rien de dramatique. Un taux d'hématocrite un peu bas.

Que pensait Charlotte, de son côté? Elle ne lui parlait plus. En tout cas plus de la même façon, avec cet enthousiasme juvénile. Elle ne faisait plus démonstration de cette force de conviction qui l'avait toujours tenaillée. Était-elle en train d'abandonner? Il le redoutait.

— Qu'est-ce que c'est que ça, Léonce?

Elle secouait la boîte aux sachets roses.

— Où est-ce que tu l'as trouvée?

— Réponds-moi.

— C'est écrit dessus.

— De la mort-aux-rats? Et tu la gardais dans ta table de chevet? Cachée derrière tes...

Il l'avait oubliée. Elle brandissait la boîte, au bord des larmes.

— Charlotte. Qu'est-ce que tu vas imaginer.

Elle le fixait de son regard mouillé. Il lui reprenait la boîte, essayait de la serrer dans ses bras. Et sa mémoire lui ramenait cinq mots. Ceux qui lui avaient échappé dans la quincaillerie.

Ma femme est venue hier.

Avec la réponse enjouée de la commerçante.

Je me rappelle, oui.

Alors il se redressait, prenait sa respiration :

164

– Je l'ai achetée dans le même magasin que toi. La quincaillerie de Saint-Léonard. Le lendemain.

(Léonce pensait et articulait toujours « quincaillerie ». Pas « droguerie-quincaillerie ». Pourquoi son inconscient refusait-il de lui souffler le premier mot ? Droguerie !)

Charlotte souriait, confuse, petite fille au numéro bien rodé.

Elle dit simplement :

– On a eu la même idée.

★

La même idée. Les sachets roses derrière le carton n° 9 n'étaient pas ceux de Charlotte. La mort-aux-rats qu'elle avait achetée était entreposée dans la cuisine, sous l'évier, au milieu des bouteilles de détergent.

– Qu'est-ce que tu dis ?

– Viens voir.

Léonce se pencha. La boîte était bien là. Douze sachets roses. Il les comptait. Il n'en manquait pas un.

Ça voulait dire que.

Les sachets du garage, derrière le carton n° 9 de la bataille de la Moscova : c'était Lukas qui les avait achetés.

– Par mesure de précaution, dit celui-ci en réponse à la question.

★

Ils avaient tous, l'un après l'autre, eu la même idée.

Ils s'étaient tous, chacun de son côté, procuré de la mort-aux-rats.

Charlotte crut-elle l'explication de Léonce concernant la présence des sachets roses au fond de sa table de nuit? Ne fut-elle pas, à son tour, sujette aux doutes? Par quelle impatience était-il miné, lui aussi, *à son tour*? Léonce invoquait le hasard. Il jurait que la boîte lui avait atterri dans les mains contre sa volonté. Et c'était vrai. À l'intérieur de la quincaillerie, ce jour-là, les mots, les gestes s'étaient enchaînés par eux-mêmes. Mais pourquoi, devant la quincaillière, avait-il évoqué la venue de Charlotte? Il avait bien fallu que Léonce imagine cela. « Ma femme est venue hier. »

Et pourquoi Charlotte ne lui avait-elle pas révélé qu'elle avait fait cet achat? Parce que ça n'avait pas d'importance? Parce qu'elle ne racontait pas à Léonce tout ce qu'elle prenait pendant ses courses, surtout les produits d'entretien? Elle n'en avait pas parlé parce que depuis qu'ils vivaient dans cette maison c'était peut-être la centième fois qu'elle faisait ce genre d'emplette. Seulement voilà, désormais le mot perdait de sa légèreté. L'« emplette » pesait des tonnes dans le cabas et dans l'estomac. L'« emplette » rendait malade, tordait le ventre et faisait vomir. Tous les symptômes que ressentait déjà Léonce. Avec des maux de tête insupportables à force de ressasser ses questions.

Il essayait de se concentrer sur Arcole. Il lui manquait des embarcations pour fabriquer la portière du pont de bateaux. Il s'était installé dans le fauteuil du salon, avec l'album de Charmy que lui avait offert Lukas pour Noël. Conseiller d'Abel Gance pour son *Napoléon*, Charmy avait réalisé, dans les années 20, mille trois cents gouaches des uniformes du Ier Empire.

Rien n'échapperait à Léonce désormais.

Léonce, qui ne dormait plus que par à-coups, faisait des cauchemars, se réveillait en sueur, cherchait dans sa chambre une présence invisible dans l'obscurité. Charlotte lui donnait des comprimés qu'il faisait semblant d'avaler. Il ne trouvait le sommeil qu'au matin, épuisé, le front brûlant. Et parfois s'endormait devant ses soldats, au salon, le pinceau à la main.

La quincaillière l'accueillait avec ce même visage avenant. Elle le reconnaissait bien sûr, et justement elle voulait lui dire au sujet de la dame. La dame ? Oui la vôtre, la petite dame si dynamique qui est venue acheter de la mort-aux-rats, vous vous souvenez ? S'il se souvenait. Eh bien voilà elle était avec le monsieur.

Léonce ne voulait pas y croire. Il savait déjà, pourtant. La quincaillière lui souriait. Le monsieur qui faisait les cent pas devant le magasin quand je vous en ai vendu.

Il se réveillait. Il avait froid.

– Je n'ai pas pris de champignons de Paris. Reculez-vous Charlotte.

Seulement les morilles, les cèpes et les mousserons.

– Pardon Léonce.

Il les avait mis à tremper la veille dans un litre d'eau tiède.

– Surveillez l'huile d'olive sur le feu. Cinq minutes, pas plus.

Lukas avait émincé le fenouil et le blanc de poireau. Il versait le jus de volaille. Ne restait plus qu'à laisser cuire à petit bouillon pendant trois quarts d'heure.

– On mélangera les jaunes d'œufs et la crème fraîche.

Et au moment de servir il mixerait jusqu'à ce que l'émulsion devienne mousseuse. C'est cette dernière opération qui inquiétait Charlotte et Léonce. Ils seraient installés au salon, et pour la première fois de la préparation Lukas serait seul en cuisine.

Jusque-là, ils ne se quitteraient pas d'une semelle.

– Charlotte, tout ça devient pernicieux.

À quel moment eut lieu cette conversation? Après Noël en tout cas. Lukas était-il déjà malade? Léonce avait peur. Et Charlotte avait compris, puisqu'elle disait :

– Peur de... moi?

Léonce ne trichait pas.

– Peur de toi, de lui, de moi. Charlotte on se surveille, on s'éprouve. On a perdu confiance. En nous-mêmes et en lui.

Elle n'en laissait paraître aucune révolte.

– À ce point?

– On se regarde différemment. On se jauge, on s'évalue. On se ment peut-être.

– Non. Pas ça.

C'était après le repas « tout champignons » de Lukas.

– Jusqu'où ça va aller? Charlotte. J'ai peur de nous.

★

L'événement le plus symbolique n'avait même pas été ce repas pour la préparation duquel ils étaient restés tous les trois dans la cuisine, à ne pas se quitter des yeux.

C'était déjà trop tard à ce moment-là, tout était enclenché.

Non, l'événement le plus symbolique était passé inaperçu. Il avait eu lieu à Noël et ni les uns ni les autres n'avaient encore une notion claire de ce qui était en train de se mettre en place.

Tout se déroula avant la découverte par Léonce des sachets de mort-aux-rats dans le garage. Avant sa visite à la *droguerie*-quincaillerie de Honfleur. Avait-il déjà des doutes ?

C'était un Noël banal, sans soutiens-gorge aux branches. Lukas était allé couper le sapin en forêt. Il l'avait rapporté dans sa voiture, posé en travers du siège arrière avec la pointe qui dépassait par la vitre ouverte. Un sapin sage, intègre et droit, pour un Noël familial qui savait se tenir.

Lukas avait eu l'idée de composer une crèche « naturalisée ».

– Naturelle ?

Charlotte et Léonce s'imaginaient-ils dedans ? En Sainte Famille ? Mais oui, c'est ce qu'ils avaient compris. Une crèche vivante avec eux : une Marie et un Joseph de soixante-quinze berges penchés sur un couffin de paille.

– Pas naturelle, avait corrigé Lukas, naturalisée.

Avec des animaux empaillés. Pas grandeur nature, bien sûr.

– Vous croyez ?

Lukas ne croyait pas, il était sûr. Sûr de lui, de sa technique. Le seul écueil concernait les personnages humains. À cette échelle.

172

– Ce sera votre partie, Léonce.

Des figurines. En métal. De cent vingt millimètres. Ça le changerait de ses Grognards.

– Qu'en pensez-vous?

Léonce jugeait la résine préférable. Marie, Joseph, Jésus, quelques bergers et les Rois mages. Lukas était d'accord. Et en y réfléchissant, il les voyait plutôt en deux cent cinquante. Léonce s'était plongé dans ses revues, cherchant chez JJ Models, le spécialiste de la figurine de grande taille.

Pour les animaux : quelques cochons d'Inde en guise de moutons, des souris blanches comme agneaux. Qu'avait Lukas en stock? Pour l'âne et le bœuf c'était plus coriace. Un lapin? Grandes oreilles d'âne. Mais le bœuf? Quelque chose d'un peu haut sur pattes. Un marcassin? Un chiot? Charlotte s'était récriée. Lukas ne l'avait pas écoutée. Un chiot travesti, la truffe recolorée et les cornes ajoutées. Lukas penchait pour un boxer, le poil ras, la couleur de robe typiquement charolaise, et puis ce front buté, ce côté bovin. Une vraie gueule, le boxer.

– Ce sera stylisé.

Il avait commencé à chercher dans les animaleries du département. Avant de baisser les bras, finalement, devant la complexité du projet et du temps trop court dont il disposait avant Noël.

Un joli Noël « familial » où ils étaient tous rassemblés autour du sapin, devant une crèche classique dont les personnages autant que les animaux ne devaient leur peau qu'à l'industrie chimique. *Tous* rassemblés, puisque Lukas avait ramené les mannequins du garage.

Personne n'en avait été choqué. Le squelette et l'écorché étaient avec eux, debout face au sapin, dans leurs habits de fête et avec leurs yeux brillants. Ils faisaient partie de leur vie. Ils partageaient leur Noël.

Lukas avait eu un disque plein de hautbois et les *Feuilles des jeunes naturalistes,* Charlotte un flacon de *Charme d'un soir* et Léonce l'album des gouaches de Charmy.

Les deux vieux avaient attendu pour s'échanger leurs cadeaux. Un foulard de soie. Un chapeau de feutre. Personne ne disait plus rien. Les mots n'avaient plus d'importance. On était bien au-delà du sens des mots à ce moment-là. Car qu'est-ce qu'ils faisaient maintenant ? Qu'est-ce qu'ils faisaient du foulard et du chapeau tout neufs ?

Sous le regard ahuri de Lukas, Charlotte et Léonce,

avec un mouvement d'ensemble impeccable, allèrent en parer leurs doubles. Charlotte noua son foulard au cou de son squelette et Léonce mit son chapeau sur le crâne de son écorché.

L'épisode de la marche d'escalier ne changerait rien.

Lukas bricolant la douzième marche un matin où Charlotte et Léonce devaient être à Honfleur. Pour déposer le cartel chez l'horloger? Oui c'était bien pour ça qu'ils avaient laissé Lukas, puisque précisément ils l'avaient oublié sur la cheminée, le cartel, et qu'ils revenaient le prendre.

– Qu'est-ce que vous faites?

Lukas s'arrêtant de scier.

– C'est la marche, je voulais l'arranger, c'est dangereux. Vous n'avez jamais remarqué qu'elle était fendue?

Cet épisode-là ne devait rien changer. Charlotte et Léonce enjambèrent simplement la douzième marche à chaque fois qu'ils empruntaient l'escalier.

Le menuisier vint tout arranger la semaine suivante et Lukas n'avait pas la force de l'aider, il avait à son tour attrapé « un bon rhume ». Mal de tête, muscles endoloris, ventre noué.

★

— Laissez-vous faire, Lukas, on va s'occuper de vous.

Ils utilisèrent les fonds d'antibiotiques qui restaient de la rhinopharyngite de Charlotte et récupérèrent, dans un tiroir du grainetier, le kombucha pour lui en faire avaler des macérations.

Léonce achevait la bataille d'Arcole pour laquelle il avait reçu ses dernières commandes. Dans la chambre où le lit avait été poussé près du mur, la commode et le grainetier serviraient de soutien à la planche.

– On mettra le grand duc ailleurs, avait-il prévenu.

Il avait rangé les figurines de la crèche dans un nouveau carton qui portait le numéro 27 et qu'il alla entreposer dans le garage. Il vérifia la présence de la boîte de sachets roses.

Ils allèrent d'autres fois à Honfleur, pendant le rhume de Lukas, manger des polonaises et revenir sur les traces de leurs nuits passées à l'hôtel. Coline leur montra ce qu'elle avait reçu pour Noël. Charlotte lui offrit des poupées et Léonce un joli pékan. Le lendemain il ressortait le carton 27 pour donner à la fillette la crèche aux personnages en résine.

Chez l'horloger, Charlotte récupéra le cartel réparé. Léonce les y emmena dans une Peugeot neuve que le garage lui avait prêtée pour essai pendant deux jours. Il avait décidé d'en acheter une du même modèle. Gris métallisé, avait suggéré Char-

lotte. Noire, préférait-il. Ils n'étaient pas encore tombés d'accord.
— Avec le lecteur de CD.
Ils écouteraient les hautbois. Là-dessus ils étaient d'accord. Les hautbois de Lukas.

À chaque fois que Léonce entrait dans la chambre il apportait une nouvelle figurine qu'il déposait sur le plateau. S'il demanda quelquefois son avis à Lukas sur la meilleure place, la plus utile au combat, il ne se préoccupa bientôt plus de lui. Ni de son avis, ni de sa présence. Il restait debout devant le champ de bataille, l'esprit tout entier tourné vers son *Kriegspiel*.

La pièce avait retrouvé son nom de « chambre aux soldats ». Lukas désormais menait une guerre contre des soldats de plomb.

– Je voulais vous dire, Lukas.

Charlotte venait s'asseoir à son chevet, là où la bataille d'Arcole occupait toute la place maintenant, sous le regard ailleurs du grand duc relégué au sommet de l'armoire.

– Que quoi qu'il se passe.

– Laisse-le, Charlotte.

Léonce faisait prendre à Lukas un cachet, une tisane, déplaçait un fantassin.

Charlotte continuait à voix basse :

– Même si les choses n'aboutissent pas.

Lukas tentait de s'adosser aux oreillers. Avait-il conscience de la drôle de guerre qu'il menait ? Sentait-il déjà qu'il était en train de la perdre ?

– Il faut parfois se rendre à l'évidence, poursuivait Charlotte. Je ne suis pas aveugle. Ni complètement écervelée, malgré les apparences.

Elle tripotait l'angle de la couette.

– Je vous le répète : « quoi qu'il se passe »...

Lukas transpirait. Léonce grondait :

– Laissons-le se reposer. Ce n'est pas raisonnable, après tout ce qu'on vient de lui donner.

– Attends un moment. Sachez que grâce à vous, Lukas, nous aurons vécu le bonheur de...

– Charlotte.

– Je voulais vous le dire. Vous avez été pour nous un printemps. Notre printemps inespéré.

Et Lukas ne pouvait s'empêcher de sourire. Avait-il envie de répondre ? Pensait-il aux yeux de Ferdinand, aux combines de Bastien, à l'atelier de la rue Notre-Dame-de-Lorette ?

Avait-il envie de répondre : « Moi aussi » ?

– Je voulais qu'il le sache, dit Charlotte en se levant du lit.

Le grand duc au sommet de l'armoire n'avait pas sourcillé. Lukas regardait s'éloigner ses deux vieux. Il entendit, l'espace de l'ouverture de la porte, la nouvelle voix du cartel, là-bas dans le salon.

King & Country proposait une série de Napoléon à Sainte-Hélène. Le fabricant anglais, avec un certain vice, émettait aussi une série limitée d'« Empereur sur son lit d'agonie ». Léonce hésitait. L'idée lui pinçait le cœur. Après tant de journées passées ensemble en tête à tête. Après tant de dialogues secrets. Pouvait-il achever l'histoire par une agonie, un lit de mort, un cadavre ?

Lukas appelait. Charlotte se rendait dans la chambre aux soldats en trottinant. Léonce ne bougeait pas, plombé au fond de son fauteuil, à réfléchir. Le *Napoléon Ier sur son lit de mort*, peint par Jean-Baptiste Mauzaisse, montrait la représentation la plus noble : en uniforme et bicorne, avec près de l'oreiller les branches de lauriers et la bougie qui finit. *Napoléon mourant*, sculpture de Vincenzo Vela, restait la plus sobre.

Léonce ne s'inspirerait ni de l'un ni de l'autre. Il avait fait son choix. La maison King & Country avait opté pour la scène de l'agonie. L'éditeur avait commandé le travail au sculpteur miniaturiste suédois Mike Blank. L'Empereur était allongé dans son lit, le visage douloureux, résigné, vaincu, la mèche de che-

183

veux collée de sueur. Léonce souhaitait l'entourer de ses derniers proches, d'après le tableau de Steuben. Il ferait découper une planche et fabriquerait le décor : le lit aux voilages, une table, des chaises et des bougeoirs. Il construirait une maquette à l'échelle, réplique de la chambre de Longwood.

Il ne placerait pas tous les personnages du tableau. Simplement le carré des derniers fidèles : Montholon, Gourgaud, Las Cases et Bertrand. Les quatre « évangélistes » de Sainte-Hélène. Même s'il devait tricher un peu avec la chronologie puisque la plupart, à l'instant fatal, avaient déjà quitté l'île.

Léonce s'interrogeait sur l'opportunité de la présence de Lowe. Il présenterait le fidèle Marchand et mettrait en scène Albine de Montholon près du lit. Petite touche de sensualité. Il prendrait modèle sur certaines réalisations de Stefano Borin dont il admirait depuis longtemps la subtilité créatrice. Il moulerait les figurines en résine, de cinquante-quatre millimètres.

*

Une fin piteuse. On se surveillait, on s'espionnait, on se trahissait. Les rivalités se développaient. Gourgaud détestait Montholon qui n'aimait pas Bertrand, et tous les trois haïssaient Las Cases. Il régnait une fausse étiquette et un respect des convenances ridicule. Par exemple cette domesticité en grande livrée et gants blancs traversant des pièces où l'humidité suintait sur les rats qui cavalaient. Le grand maréchal Bertrand lui-même avait été mordu.

184

N'y avait-il donc pas de mort-aux-rats à Sainte-Hélène?

Léonce avait tout lu, tout vu. Films, téléfilms, séries, feuilletons, comédies musicales, biographies. On nageait en pleine napoléomania. Il y avait la Société napoléonienne et la Fondation Napoléon. Tout juste s'il n'existait pas des fans-clubs. Les « Groupies de Napo », les « Supporters de la Grande Armée » ou les « Ultras de Wagram » ? On pouvait tout imaginer. Les « Enfants de l'Empire » ou les « Dragons d'Austerlitz ».

Les journaux revenaient régulièrement sur la question de la mort. Empoisonnement criminel ou cancer de l'estomac? L'interrogation prenait des allures de polar. Le dernier hebdomadaire que Léonce tenait entre les mains relançait le débat. Un marronnier d'historiens qui s'ennuient. Avait-on assassiné l'Empereur?

★

Dans les pages que lisait Léonce, le président de la Société napoléonienne internationale opposait ses arguments au directeur de la Fondation Napoléon. Les Mémoires du valet Louis Marchand décrivaient des symptômes d'une intoxication arsenicale. « En outre, comme l'imagerie collective se le rappelle, Napoléon était gras au moment de sa mort, ce qui est incompatible avec un cancer gastrique. »

Léonce connaissait les arguments : les mèches de cheveux où des traces d'arsenic avaient été relevées. Le laboratoire nucléaire britannique d'Harwell et le bureau de toxicologie du FBI, le Dr Kintz de l'institut de médecine légale de Strasbourg. Tous avaient trouvé un taux d'arsenic supérieur à la normale.

Suspect n° 1 : le comte de Montholon. Léonce s'appliquerait à lui sculpter des traits mystérieux, avec des sourcils en accent circonflexe à l'acrylique noir. Montholon couvert de dettes. Montholon proche du comte d'Artois par ses liens avec le monarchiste Charles-Louis de Sémonville. Montholon le cocu, dont la femme était la maîtresse de l'Empereur. Le crime avait de trop beaux mobiles.

Léonce connaissait aussi les contre-arguments. L'arsenic, à cette époque, on en trouvait partout. Les tapisseries de Longwood en contenaient et les cheminées en dégageaient à longueur de journée. Il aurait fallu faire une étude sur les cheveux du XIXe siècle pour savoir si le taux d'arsenic n'y était pas systématiquement plus élevé que celui des cheveux du XXIe.

La question fondamentale portait sur la provenance du poison : endogène ou exogène ? Tous les historiens, les scientifiques et les amateurs y revenaient. L'arsenic dans les cheveux de Napoléon provenait-il d'une source intérieure ou extérieure ? Avait-il été *ingéré* ou seulement *déposé* ?

En 2002, les chercheurs du laboratoire de toxicologie de la préfecture de police de Paris proposaient qu'on avait usé d'arsenic pour maintenir les cheveux en état. Le produit aurait tout bêtement servi à ça. L'utilisation de l'arsenic était courante, comme le savaient bien les taxidermistes.

★

Léonce se redressait. L'article qu'il avait sous les yeux ne différait des précédents que par une simple phrase. Six mots cette fois. La meilleure façon de conserver des cheveux humains, ou des poils d'animaux. En utilisant de l'arsenic, *comme le savaient bien les taxidermistes.*

— On l'a tellement voulu.

— Trop, peut-être.

— Il faut qu'on soit sûrs.

— Comment l'être tout à fait? Charlotte, est-ce qu'on ne se donne pas de fausses raisons?

— De fausses raisons?

— Je crains parfois que notre entreprise ne soit qu'une quête sans fin.

— Non, Léonce.

— Dis-moi la vérité : nous ne nous leurrons pas?

Ce serait tellement lâche, dit-elle.

— On s'emballe et puis... comme si au dernier moment quelque chose nous retenait. Charlotte. Peut-être que finalement nous avons peur de la mort?

Après tant d'années.

— Ce serait terrible. Je ne veux pas y croire.

— Moi non plus.

— Peur de la mort. Quel gâchis.

Mais il en fallait peu pour tout faire basculer. Si peu pour qu'ils reprennent espoir, pour que déjà les derniers doutes s'effacent au pied des envies.

— Tu crois qu'on a bien fait?

— On l'a voulu, dit-il. Il n'y a pas à regretter.

– Alors continuons d'y croire. Très fort. Très fort.

– Oui, très fort.

Si peu pour qu'ils repartent en croisade.

– On aurait pu attendre.

– Toujours repousser.

D'ailleurs Léonce avait déjà pris des renseignements sur le nouveau : stages aux États-Unis, beaucoup d'expérience, une perle rare.

– Il se déplacerait sans nous compter les frais.

Ils étaient déjà relancés. Avec leur innocente naïveté. Ce vieil optimisme chevillé à leurs vieux corps.

– Je pensais... dit Charlotte. Pour Lukas... avec tout son matériel dans le garage... tu saurais le faire maintenant... on a appris depuis le temps... Et on pourrait récupérer une potence.

Elle regardait Léonce avec cette même force enthousiaste.

– On le mettrait près de la télé.

Cette désarmante confiance en l'avenir, cette même volonté insoumise qu'ils partageaient encore.

– Hors de question, Charlotte. On l'enterrera dans le jardin, comme les autres.

Photocomposition CMB Graphic
44800 Saint-Herblain

Impression réalisée sur CAMERON par

BRODARD & TAUPIN

GROUPE CPI

La Flèche

pour le compte des Éditions Calmann-Lévy
31, rue de Fleurus, Paris 6ᵉ
en février 2005

Imprimé en France
Dépôt légal : mars 2005
N° d'éditeur : 13858/01
N° d'impression : 28646